KT-482-466

Maestri del cinema

Federico Fellini

CAHIERS DU CINEMA

Àngel Quintana

WITHDRAWN 1 / JUN 2024

YORK ST. JOHN LIBRARY & INFORMATION SERVICES

York St John University
3 8025 00633443 0

Sommario

Marcello Mastroianni e Anita Ekberg in *La dolce vita* (1960).

Prologo

Chi era Federico Fellini? Alla sua morte, il 31 ottobre 1993, i media lo incensano come l'autore ineguagliato di una splendida quanto lontana età dell'oro del cinema italiano. Per molti cinefili, Fellini lascia invece il segno in quanto creatore di un lussureggiante universo barocco, tanto che l'aggettivo "felliniano" è ormai di uso corrente.

Regista di grande popolarità, premiato con ben quattro Oscar (per *La strada*, *Le notti di Cabiria*, *8½* e *Amarcord*), Fellini esordisce negli anni '40, in pieno Neorealismo, come co-sceneggiatore di due opere fondamentali della storia del cinema, *Roma città aperta* e *Paisà*. Se negli anni '50 alcuni esponenti della critica lo accusano di proporre una visione moralista del mondo, nel decennio successivo, in cui si mostra ossessionato dal malessere della società moderna, viene considerato il regista per antonomasia, finché, negli anni '70, non raggiunge l'apice della gloria con *Amarcord*. Gli anni '80 lo vedono trasformarsi in un Don Chisciotte solitario che, di fronte all'abbandono delle sale cinematografiche da parte del pubblico, lotta contro l'impero della "neotelevisione", nata con il moltiplicarsi dei canali privati. Nel suo percorso dal Neorealismo alla "neotelevisione", che va dallo *Sceicco bianco* alla *Voce della luna*, Fellini si misura con diverse forme di sguardo ed esplora il mondo dello spettacolo in tutta la sua complessità.

Del resto, l'aver fatto della coscienza del proprio lavoro la materia stessa del suo stile è stato probabilmente il gesto più moderno di Fellini. Esplorazioni di uno spazio che rivela l'illusione dello spettacolo o riflessioni sui grovigli dell'ispirazione, molti dei suoi film hanno per tema il processo creativo, al cui centro si pone l'io dell'autore. Sdoppiato in molteplici alter ego, Fellini conduce un complesso gioco di specchi nel tentativo di comprendere come si costruisce la realtà dell'uomo moderno, frutto del legame che questi riesce a stabilire con i suoi sogni, i suoi ricordi, le sue frustrazioni e le sue ossessioni.

Federico Fellini negli anni '50.

Gli anni del dopoguerra

Cultura popolare e Neorealismo

Pagina a fronte: Federico Fellini negli anni '50.

A destra: Federico Fellini e Anna Magnani in *Il miracolo* (1948) di Roberto Rossellini.

Sguardi incrociati

Nel 1948 Roberto Rossellini gira il mediometraggio *Il miracolo*, secondo dei due episodi di cui si compone la pellicola *L'amore*. La protagonista è una creatura ingenua e molto religiosa, instabile e volubile. Nannina (Anna Magnani), una povera pastora, viene sedotta da un vagabondo che scambia per un messo di Dio. Rimasta incinta, la donna si convince di portare in grembo il seme di Dio e subisce l'ostracismo dei compaesani, scemi del villaggio compresi, i quali, più che da santa, la trattano da pazza. La vicenda dà luogo a un interessante incrocio tra sguardo oggettivo, della cinepresa, e soggettivo, del personaggio. Mentre il primo non cerca di dimostrare nulla, limitandosi a registrare la profonda ambiguità del reale, quello di Nannina, che crede di essere stata eletta per portare al mondo lo Spirito Santo, si fa allucinato, il che permette a Rossellini di articolare una riflessione sulla difficile coesistenza tra la realtà materiale e la realtà spirituale generata dal mistero.

L'attore che interpreta il personaggio del vagabondo è lo sceneggiatore stesso dell'episodio, Fellini. In realtà, *Il miracolo* è molto più di un episodio, perché viene prodotto in un'epoca in cui vengono elaborati i fondamenti della modernità cinematografica. Da un lato prefigura quello che sarà il percorso di Rossellini a partire da *Stromboli* (1950), dove il regista ricorre al concetto di "rivelazione", inteso come chiave per avvicinarsi alla dimensione spirituale del mistero, allo scopo di creare un cinema capace di mettere a nudo una realtà complessa, al di là delle apparenze. Dall'altro appare come un abbozzo di quella che sarà la futura produzione di Fellini, dal momento che si tratta di una riflessione dirompente sul modo in cui lo sguardo trascende la realtà esterna per creare universi allucinati.

Fellini esordisce quindi nel momento della presa di coscienza dell'effetto di realtà da parte del cinema neorealista dell'immediato dopoguerra.[1] La sua carriera coprirà cinque decenni, durante i quali non smetterà mai di interrogarsi sulla rappresentazione del reale. Sotto l'egida di Rossellini, scopre che la realtà sociale può trasformarsi in delirio, se non vengono analizzati i problemi della costruzione identitaria. E così, l'allucinato e l'ingenua, tipici personaggi felliniani, diventano la proiezione di un soggetto che nasce nell'Italia del dopoguerra, attraversa le chimere del miracolo economico e prende posto nella trionfante società dello spettacolo. L'identità si rivela essere il fattore che determina la realtà. Il sogno, la memoria, il desiderio e lo spettacolo nutrono un inconscio infantile che sopravvive all'età adulta e

Tre disegni di Federico Fellini.

che il regista mette in scena facendo dei suoi personaggi le proiezioni di un io intriso di nostalgia per l'effimero e di un sentimento di eternità del mondo.

Quando interpreta il personaggio del vagabondo nel *Miracolo*, Federico Fellini ha ventotto anni, ma è già piuttosto conosciuto nell'ambiente perché ha lavorato come sceneggiatore con i grandi nomi del cinema italiano: Rossellini, Lattuada e Germi. Intellettualmente si è nutrito dei mezzi espressivi più popolari della cultura dell'epoca: il fumetto, la caricatura, il varietà e la radio. Professionalmente egli attraversa tutti quegli ambiti per approdare al cinema come creatore di gag per le commedie popolari. Saranno il fumetto, la caricatura, il circo, il varietà a essere la matrice del suo linguaggio cinematografico.

Caricature e varietà

Federico Fellini nasce il 20 gennaio 1920 a Rimini, dove trascorre l'infanzia e la giovinezza durante gli anni bui del fascismo. Primogenito di Urbano Fellini, rappresentante, e di Ida Barbiani, ha un fratello, Riccardo (1921-1991), e una sorella, Maddalena (1929-2004). È un grande appassionato di fumetti, soprattutto di quelli pubblicati dal *Corriere dei Piccoli*, ma non solo. Topolino, Mandrake il mago, Flash Gordon, il gatto Felix e Buck Rogers popolano ben presto la sua fantasia. Nel 1937 disegna per il cinema Fulgor di Rimini una serie di caricature di attori famosi e l'anno successivo *La Domenica del Corriere* pubblica le sue prime vignette umoristiche. Nel 1939 si trasferisce a Roma con la madre e la sorella; i primi anni nella capitale continua a fare il vignettista finché non viene assunto alla redazione del *Marc'Aurelio*, bisettimanale politico-umoristico edito da Rizzoli. Il 4 giugno del 1944, dopo la liberazione di Roma, apre con alcuni amici disegnatori un negozio, The Funny Face Shop ("il negozio delle facce buffe"), dove propone caricature ai soldati alleati.

La caricatura, che consente di esprimere con pochi tratti la psicologia dei personaggi, può essere considerata l'origine della concezione del personaggio felliniano: un fisico particolarmente espressivo ridotto a pochi tratti sovradimensionati. Inventore di un universo inconfondibile, Fellini punta sul potere dell'immagine, resa non in termini pittorici ma con l'incisività della grafica giornalistica. Un'opzione che raggiunge la pienezza quando la caricatura sfocia in un onirismo visivo.

Oltre che dai fumetti, Fellini è affascinato fin dall'infanzia dal mondo dello spettacolo. La sequenza iniziale dei *Clowns* (1970) è proprio la rappresentazione di questo forte richiamo. Un bambino viene svegliato da un circo che sta montando il tendone sotto alle sue finestre e, attratto dalla magia di quel mondo, si avventura al suo interno, osserva i preparativi e ne rimane estasiato. Nata da un ricordo d'infanzia, come ha dichiarato il regista, e dalla reminiscenza della lettura di *Little Nemo in Slumberland*, il fumetto creato da Winsor McCay nel 1904, la scena è di particolare interesse in quanto il circo offre lo spunto per un'evocazione dell'infanzia come spazio ricco di fascino, in cui spettacolo e fumetto svolgono un ruolo fondamentale. Nel suo libro *Fare un film* Fellini descrive l'emozione provata al circo sulle ginocchia

Caricature e fumetti

Disegnatore ancor prima che regista, Fellini realizza alcune caricature di attori hollywoodiani per il cinema Fulgor a diciassette anni, e a diciannove diventa una delle grandi firme del bisettimanale *Marc'Aurelio*. Per tutta la vita crea e disegna tutti i suoi personaggi, e negli ultimi anni un suo mitico progetto, *Il viaggio di G. Mastorna*, viene trasposto in fumetto dall'artista Milo Manara, divenuto suo grande amico. Una simile eredità lascia il segno sotto diverse forme. Innanzitutto esiste una palese corrispondenza tra la caricatura e la sua concezione dei personaggi: le smisurate caratteristiche fisiche gli permettono di giocare con l'idea che l'esteriorità sia il riflesso dell'interiorità. Anche il fumetto è fonte di ispirazione visiva. All'uscita di *Fellini Satyricon*, per esempio, il regista ripete spesso che il film deve di più a Flash Gordon che non agli affreschi di Pompei. Del resto, la stessa narrazione ne viene profondamente influenzata, e la struttura frammentata delle sue opere evoca chiaramente quella delle comic strip. Quest'universo visivo ha a sua volta influenzato più di un regista per il quale la creazione di uno stile e la costruzione di storyboard rappresentano tappe fondative: Terry Gilliam, o, ancora, Caro e Jeunet devono molto a Fellini, anche se li si può considerare cattivi discepoli. Per Fellini il disegno non è un semplice preliminare dell'opera cinematografica, in particolare per quanto riguarda la concezione caricaturale dei personaggi: è piuttosto una pulsione creativa profonda, che segna tutta la sua esistenza. Non si può infatti capire Fellini se non si tiene conto del fatto che, dagli esordi sulla rivista *Marc'Aurelio* alla collaborazione con Milo Manara, egli realizza un grande lavoro grafico semplice e caricaturale, vera opera parallela a quella cinematografica. Prima di prendere forma al cinema, l'universo felliniano è un mondo di carta, i cui pochi e incisivi tratti delineano una particolare visione dell'esistenza.

Vignetta di Federico Fellini pubblicata sulla rivista *Marc'Aurelio* negli anni '40.

– Ma come?!... Le poltrone dell'ultima fila, vicino alla porta d'ingresso, costano di più di quelle delle file avanti?
– Capirete: di laggiù la commedia si sente molto meno...

del padre: "Quando [...] ho visto lo spettacolo, ne sono stato folgorato; come se di colpo avessi riconosciuto qualcosa che mi apparteneva da sempre e che era anche il mio futuro, il mio lavoro, la mia vita".[2]

Il fascino per il mondo dello spettacolo che pervade il regista nasce quindi dal circo e, in seguito, dal varietà. Infatti è dal varietà che egli muove i primi passi nell'ambiente del cinema, grazie all'amicizia con Ruggero Maccari e poi con Aldo Fabrizi,[3] i quali gli propongono di adattare le gag delle sue vignette alle riviste di avanspettacolo, poi alle sceneggiature di film. Inizia con *Lo vedi come sei?* (1939) e *Il pirata sono io!* (1940) di Mario Mattioli, con il comico Erminio Macario, ma ben presto abbandona la commedia di situazione per scrivere commedie realistiche, come *Campo de' fiori* (1943), film diretto da Mario Bonnard con Anna Magnani e Aldo Fabrizi, futuri protagonisti di *Roma città aperta* (1945). Il varietà alimenta il suo desiderio di allontanarsi dalle strutture narrative tradizionali per approdare, soprattutto a partire dalla *Dolce vita* (1960), a un modello di racconto costituito da una serie di frammenti privi di un forte legame

Federico Fellini negli anni '40.

narrativo. Del resto Fellini farà ampio ricorso alle riviste d'avanspettacolo, rivelando la magica attrazione che il mondo della rappresentazione popolare esercita su di lui. A parte l'omaggio diretto di *Luci del varietà*, la rivista è oggetto di fascinazione anche per la prostituta protagonista di *Le notti di Cabiria* (1957) e l'espressione per antonomasia dell'illusione degli anni della guerra in *Roma* (1972). Viceversa, il mondo popolare e grossolano dell'avanspettacolo acquisisce tratti marcatamente grotteschi quando viene assorbito dalla televisione, come avviene nello show televisivo di *Ginger e Fred* (1985).

Roberto Rossellini, Federico Fellini e Giulietta Masina durante le riprese di *Paisà* (1946) di Roberto Rossellini.

Rossellini e la poetica neorealista

Nel 1942 Fellini lavora per un certo periodo per l'Alleanza Cinematografica Italiana (ACI), società diretta da Vittorio Mussolini,[4] figlio di Benito, come ideatore di trame di film. Lì conosce l'attrice di varietà Giulietta Masina, che sposa un anno dopo e dalla quale nel 1945 avrà un figlio, che vivrà soltanto quindici giorni. All'ACI Fellini incontra anche Roberto Rossellini, che un anno dopo gli chiederà di convincere Aldo Fabrizi a interpretare il personaggio di don Pietro in *Roma città aperta*, film per il quale verrà ingaggiato poco dopo anche lui come co-sceneggiatore, responsabile della stesura di alcuni dialoghi.[5] Nonostante il peso che *Roma città aperta* avrà per il Neorealismo, è *Paisà* (1946) ad avviare veramente Fellini al cinema e alla regia. Film in sei episodi sulla liberazione dell'Italia, è un viaggio attraverso le rovine, materiali e morali, del dopoguerra. Il quinto episodio, che racconta la visita a un convento italiano di tre cappellani militari americani di diverse confessioni, è scritto principalmente da Fellini, che dà un'impronta francescana ai rapporti ecumenici tra i religiosi di fedi diverse ma accomunati da una stessa umiltà, anticipando alcune riflessioni sulla spiritualità che si ritroveranno nei suoi film degli anni '50.

Nonostante gli stretti legami che lo uniscono a Rossellini, Fellini ha una concezione del cinema opposta a quella del cineasta romano. Mentre lui crede nell'opera strutturata, Rossellini privilegia l'improvvisazione e fa della ripresa un'esperienza anarchica, abbandonando talvolta il set e lasciando ai suoi assistenti il compito di realizzare alcune scene. Fellini si ritrova così dietro la macchina da presa a girare alcuni piani del quarto episodio di *Paisà*, ambientato a Firenze. Il paesaggio neorealista del film è lo stesso delle sceneggiature che Fellini scrive

Sopra (in alto): *Francesco giullare di Dio* (1950) di Roberto Rossellini.

Sopra (in basso): *Paisà* (1946) di Roberto Rossellini.

Pagina a fronte: Federico Fellini negli anni '60.

per due grandi nomi, Alberto Lattuada, con il quale vive un'esperienza particolarmente importante in *Senza pietà* (1947), e Pietro Germi,[6] per il quale scrive, tra l'altro, *In nome della legge* (1948).

Paisà consolida l'influsso reciproco tra Roberto Rossellini e Federico Fellini, entrambi interessati a una dimensione cinematografica più aperta di quella del realismo sociale, da cui prendono le distanze. La collaborazione tra i due si fa sempre più stretta con *Il miracolo* (1948), *Francesco giullare di Dio* (1950), *Europa 51* (1952) e *Dov'è la libertà?* (1954), tutti film, ad eccezione dell'ultimo, che sondano il problema della spiritualità senza per questo aderire a una generica ortodossia cattolica. Fellini e Rossellini mettono in scena lo scontro tra fede e realtà, sottolineando quanto la carità, sorta dalla crisi della coscienza borghese, in un mondo dominato da un'ideologia rigida possa sfociare nella follia.

La presenza nella carriera di Fellini di una figura carismatica come quella di Rossellini ha generato non poche controversie. Tullio Kezich, autore di una biografia fondamentale di Federico Fellini, afferma che quest'ultimo "da una parte dirà che da Rossellini ha imparato tutto, dall'altra che Rossellini non gli ha insegnato niente".[7] In realtà, per capire il rapporto tra i due registi è necessario andare al di là del Neorealismo e dell'importanza che ha potuto avere la loro collaborazione, in particolare per la sceneggiatura di Roma città aperta. Come fa presente Gianni Rondolino, Fellini impara da Rossellini che guardare il mondo significa andare al di là delle apparenze, "entrare in una dimensione drammatica nuova e originale, al di là dei fatti scoprirne le motivazioni".[8] È proprio Rossellini a iniziare Fellini a questo concetto di realtà, fondamentale per quella corrente critica dell'Europa del dopoguerra che, a partire dalla fenomenologia, reagisce contro le forme di costruzione oggettiva del mondo, e di cui André Bazin è il grande teorico in campo cinematografico.[9] Il dibattito sulla costruzione o la riproduzione del reale tipico degli anni del Neorealismo inizia allora a tenere conto dell'esistenza del mistero come segno dell'invisibile. L'essere umano non è più solo un essere sociale, ma è anche un soggetto attraversato da problemi esistenziali. Fellini scopre che la rappresentazione della realtà è priva di senso se non si tiene conto degli elementi costitutivi della cultura, e in particolare degli elementi necessari alla costruzione dell'individuo.

Oltre il Neorealismo

Da *Luci del varietà* a *Le notti di Cabiria*

Giulietta Masina in *Le notti di Cabiria* (1957).

La rivelazione dell'illusione

Alla fine di *Luci del varietà* (1950), il primo film di Federico Fellini, diretto in collaborazione con Alberto Lattuada, Liliana (Carla del Poggio) abbandona il mondo dell'avanspettacolo di provincia per trasferirsi in città e trionfare nel music-hall. Dal finestrino del treno che la sta portando a Roma vede salire su un vagone vicino gli attori della sua compagnia, diretti ai soliti teatrini. Quello di Liliana è un viaggio che conduce dalla vita di provincia al cosmopolitismo urbano, ma anche da una forma di spettacolo superata a nuove tipologie, quasi che Fellini volesse voltare pagina e puntare sul futuro, ben sapendo che, per farlo, deve innanzitutto dire addio a un'epoca e a un modello di vita che fanno parte della sua educazione sentimentale. Come Fellini, Liliana crede di avere chiuso con il varietà senza rendersi conto che non si libererà mai da quest'ultimo in quanto costituisce la sua vera origine.

Luci del varietà evoca la folgorante trasformazione dei fantasmi nell'Italia del dopoguerra ed è innanzitutto un omaggio agli attori che sono riusciti a sopravvivere agli scalcinati teatri di provincia. Se il ritmo e la sceneggiatura risentono del classicismo di Lattuada, alcune scelte di regia sono chiaramente felliniane, come la propensione a scegliere il passaggio dalla notte al giorno come momento degli incontri e delle confessioni. Il film, malgrado sia stato un fiasco al botteghino, pone già come necessità la ricerca di spazi d'illusione, dopo il definitivo tramonto del Neorealismo.

L'incontro con le chimere assumerà tutto il suo peso un anno dopo, con *Lo sceicco bianco* (1952), che può essere considerato per più di un aspetto un abbozzo delle principali tematiche del regista, in particolare del rapporto tra sogno e realtà. Fellini crea qui due nuclei tematici destinati a divenire capisaldi della sua poetica: la figura della sempliciona ingenua, in contrasto poetico con il materialismo che la circonda, e la ricerca di uno spazio in cui si costruiscano le illusioni. *Lo sceicco bianco* inaugura inoltre alcune collaborazioni che dureranno nel tempo. Innanzitutto quella con lo sceneggiatore Tullio Pinelli, che assieme a Ennio Flaiano sarà il responsabile della drammaturgia di tutti i film di Federico Fellini dai *Vitelloni* (1953) a *Giulietta degli spiriti* (1965). Quindi quella con il compositore Nino Rota, che nell'universo di Fellini trova la sua piena realizzazione.

Nello *Sceicco bianco* Wanda, una donna provinciale in viaggio di nozze a Roma, fugge dalla realtà per entrare in un mondo fantastico in cui spera di trovare il suo eroe. Versione moderna di Emma Bovary,

Wanda riesce a evadere dal suo piccolo mondo trasformando in realtà gli amori tra principi arabi e odalische che popolano i fumetti di cui è appassionata lettrice. Lo spazio di quest'illusione è la spiaggia di Ostia, dove un regista riprende alcune scene per un fotoromanzo. Tra i pini lungo la spiaggia, un gruppo di figuranti vestiti alla moda di *Mille e una notte* mette in scena un mondo carnevalesco in cui la fiction sembra confondere i confini tra oggettività e soggettività. In questa fucina di illusioni Wanda crea la sua realtà. Nel momento in cui il suo adorato sceicco bianco compare sull'altalena, lei lo segue in un universo fantasticato, come se si trovasse di fronte all'apparizione di un essere sceso dal cielo, e il suo sguardo trasfigura la realtà per accedere al paradiso dei sogni.

Figura ingenua dallo sguardo gravido di illusioni, Wanda muta in poesia il mondo che la circonda. Entra in uno spazio in cui si sta creando un'opera, un mondo in cui le quinte del sogno sono ben visibili, ma non è in grado di riconoscerne gli artifici, di capire che il mondo esterno continua a esistere nella sua realtà. E ben presto lo sceicco bianco, che ha i tratti di Alberto Sordi, si rivela un dongiovanni dal prosaicissimo quotidiano. Come afferma Jacqueline Risset in uno straordinario saggio sul film, Fellini, con il lavoro sullo sguardo, provoca "uno degli effetti più tipici del suo cinema: la simultaneità, o quasi-simultaneità, dell'illusione e della disillusione".[10] Nelle ultime scene lo sceicco bianco non è più soltanto un miraggio sorto dai fotoromanzi, poiché appare

Luci del varietà (1950).

altresì modellato dalle credenze del cattolicesimo. Il marito di Wanda è infatti ossessionato dall'idea di fare visita al papa, e dopo essersi ritrovata, la coppia si unisce ad altri giovani sposi in piazza San Pietro per essere ricevuta dal pontefice. Il papa finisce così per apparire a sua volta come una visione, una sorta di "sceicco bianco" del cattolicesimo.

Viaggiatori immobili

Col tempo *Lo sceicco bianco* è stato rivalutato, ed è oggi considerato un abbozzo della poetica felliniana, ma all'uscita, nonostante il discreto successo di pubblico, venne disdegnato dalla critica. Fellini viene infatti riconosciuto come regista solo quando, nel 1953, vince il Leone d'argento al festival del cinema di Venezia per *I vitelloni*. La storia si svolge in una cittadina di provincia che ricorda vagamente Rimini, città natale di Fellini, e mette in scena le vacue giornate di cinque giovani perditempo, figli della piccola borghesia. Gli scenari evocano luoghi topici della giovinezza del cineasta, e la vicenda si conclude emblematicamente con la fuga di uno di loro, Moraldo, a Roma, proprio come fece Fellini a diciannove anni. Non a caso, una voce fuori campo non meglio identificata, quella di un anonimo "vitellone" guida lo spettatore attraverso le immagini di un piccolo mondo prigioniero delle sue stesse chimere e riconduce il film al genere dell'autobiografia.

Tutti gli elementi dei *Vitelloni* paiono rinviare a un momento chiave della giovinezza del regista,

Dante Maggio, Carla del Poggio, Checco Durante, Peppino De Filippo e Giulietta Masina in *Luci del varietà* (1950).

Pagine successive: Alberto Sordi e Brunella Bovo in *Lo sceicco bianco* (1952).

ITALA PILSEN

come se il film fosse una discorso pseudo-biografico. Questo spazio del ricordo non è stato però ricostruito a Rimini, ma a Ostia, come a sottolineare che a essere rappresentata non è la realtà, bensì la sua reinvenzione.

Il regionalismo "vitelloni"[11] rende l'idea di un gruppo di personaggi un po' scialbi, che non sanno che fare della propria vita, eternamente bloccata allo stadio di progetto. Prigionieri del loro microcosmo e incapaci di andare al di là del loro piccolo mondo, appaiono come veri e propri viaggiatori immobili. I cinque incarnano diversi aspetti della mediocrità provinciale. Il personaggio centrale, Fausto (Franco Fabrizi), è un seduttore che nel rapporto con le donne dà prova di ipocrisia, ricorrendo alla menzogna per occultare le sue avventure. Perde l'impiego quando tenta di sedurre la moglie del titolare e si lascia prendere da un panico patetico quando si lancia alla ricerca della moglie che lo ha lasciato dopo avere scoperto la sua tresca con una ballerina. Alberto (Alberto Sordi) è il più grottesco della compagnia: nullafacente che vive in famiglia e complessato per via dell'indole effeminata, sorveglia in maniera ossessiva la sorella Olga. Leopoldo (Leopoldo Trieste) è un commediografo da strapazzo che, inseguendo i suoi sogni di gloria poetica, si fa mantenere dalle vecchie zie. Riccardo (Riccardo Fellini), pur facendo parte del gruppo, rimane decisamente nell'ombra, una scelta dettata forse da un certo pudore del regista nei confronti del fratello che lo interpreta. Moraldo (Franco Interlenghi), infine, è la coscienza critica del gruppo, una sorta di spettatore che osserva ed emette giudizi morali sulle condotte. Per calarsi nel gruppo e conferire alla narrazione un tono di falsa biografia, Fellini ricorre a un curioso sdoppiamento tra Moraldo e la voce fuori campo, che appare come un sesto "vitellone" che racconta quel mondo reinventato da un punto di vista imprecisato.

Tutti questi personaggi agiscono sotto una maschera, ingannando il mondo che pretendono di mettere in scena. La narrazione è complessa, incentrata sulle menzogne di Fausto, e presenta tre momenti forti, tre rappresentazioni che preannunciano la propensione tipicamente felliniana a osservare la realtà attraverso il mondo dello spettacolo. La prima è l'elezione di miss Sirena, che permette di abbozzare

Franco Fabrizi, Alberto Sordi, Leopoldo Trieste e Riccardo Fellini in *I vitelloni* (1953).

i ritratti dei personaggi, e quello di Fausto in particolare. La seconda è la festa di carnevale, che ha come protagonista Alberto, il quale, vestito da donna, finisce per ballare in modo patetico, aggrappato al collo di un'enorme testa di cartapesta, in una scena nella quale il grottesco contrasta con la profonda solitudine del personaggio. Infine, la presenza di una compagnia di attricette, che ricorda il mondo di *Luci del varietà*, porta in primo piano i sogni di Leopoldo, ossessionato dalla presenza di un attore decrepito che considera il suo maestro. A partire da queste rappresentazioni, il cineasta mette a nudo quel che c'è di più triste nei "vitelloni", prigionieri del loro stesso ozio: non tanto la menzogna in sé, quanto la menzogna a se stessi.

La città in cui Moraldo fugge al termine del film diventa vagamente kafkiana nel cortometraggio *Agenzia matrimoniale* (1953). Qui Roma è la città misteriosa dai palazzi sontuosi in cui si nascondono quelle strane creature che verranno svelate nella *Dolce vita* e in *Roma* (1972). Come gli altri due cortometraggi del regista che fanno parte di film a episodi, *Agenzia matrimoniale* rappresenta un momento di transizione, che apre nuove strade. Qui il punto di partenza è un film-inchiesta che fa parte del progetto *L'amore in città* di Cesare Zavattini sui comportamenti amorosi generati dalla vita cittadina.[12] Imbarazzato di fronte al dettame di cogliere il quotidiano nella sua dimensione più intima, nonché a quello di far coincidere il più possibile il tempo del racconto con quello reale, Fellini finisce per allontanarsi dalla tensione realista di Zavattini e crea la storia di un giornalista che si rivolge a un'agenzia matrimoniale fingendo di essere interessato a trovare una donna disposta a

Pagina a fronte: Alberto Sordi in *I vitelloni* (1953).

Anthony Quinn e Giulietta Masina in *La strada* (1954).

sposare un lupo mannaro. Liberatosi dei principi di Zavattini, Fellini gira così un racconto fantastico, costruito sull'effetto di straniamento che lo spazio urbano finisce per creare.

Un mondo senza amore

Nel momento in cui il nascente miracolo economico incomincia a far balenare una società del benessere, l'orizzonte fisico e morale dell'Italia si trasforma. I problemi fondamentali non sono più quelli connessi alla sopravvivenza economica – come la lotta alla disoccupazione condotta dall'operaio Antonio Ricci in *Ladri di biciclette* (1948) di Vittorio De Sica – ma quelli legati a una certa crisi esistenziale. È il periodo in cui una parte della società europea crede di trovare una risposta nelle verità assolute proclamate dalle ideologie dominanti – cristianesimo e comunismo – mentre l'altra ricorre all'esistenzialismo per spiegare le ragioni del malessere interiore. La trilogia formata da *La strada* (1954), *Il bidone* (1955) e *Le notti di Cabiria* (1957) pone Fellini al centro dei dibattiti che attraversano il cinema europeo, da Ingmar Bergman a Michelangelo Antonioni, e propone una riflessione sul modo in cui il primato dei valori materiali ha generato un certo vuoto interiore e alimentato l'indifferenza nei rapporti umani. In questi tre film il regista è ossessionato dalla descrizione di una possibile redenzione in un mondo senza amore: assumendo come tema di fondo quello che Pier Paolo Pasolini aveva definito "irrazionalismo cattolico",

Pagina a fronte: Giulietta Masina in *La strada* (1954).

Disegno di Federico Fellini.

Pagine successive: Giulietta Masina e Anthony Quinn in *La strada* (1954).

articola così le tre storie intorno a esseri deboli in piena crisi morale, che ben presto appaiono come gli spettri di un'umanità errante in un'epoca di forte tensione spirituale.

La strada è la storia di un viaggio dal vuoto alla rivelazione. Lo scenario è quello della miseria dell'Italia del dopoguerra, ma l'afflato poetico che domina il film ne riscatta la desolazione. Fellini porta qui a compimento il processo di trasformazione del personaggio in caricatura abbozzato nei film precedenti. Come ha riconosciuto André Bazin, infatti, "i suoi personaggi non si definiscono mai per il loro 'carattere' ma esclusivamente per le loro apparenze".[13] Gelsomina (Giulietta Masina) è un personaggio mite e instabile, la cui innocenza e semplicità mettono in crisi la crudeltà del mondo. Il suo personaggio porta in sé qualcosa della maschera della commedia dell'arte, un'aria clownesca che evoca alcuni elementi tipici di Chaplin, eppure lei e Charlot non condividono la stessa idea dell'azione.[14] Gelsomina agisce senza ricorrere né al burlesco né alla scanzonatura: è innanzitutto un essere che osserva. Dal suo sguardo trapela l'innocenza e la sua fragilità turba un mondo indifferente all'amore. Rispetto alla fragile Gelsomina, Zampanò (Anthony Quinn) rappresenta la bestia umana, la forza allo stato bruto, incapace di guardare al di là delle cose e in perenne combutta con il male. Il terzo personaggio della storia è il Matto (Richard Basehart), che rappresenta simbolicamente l'aria. Appare infatti per la prima volta come funambolo dotato di ali e la sua volatilità contrasta con l'indole terra a terra di Zampanò. Ma nonostante sia depositario di una certa filosofia popolare, è un essere prigioniero del proprio destino, condannato a morire tragicamente. *La strada* vuole essere innanzitutto una riflessione sull'insensibilità e i rapporti di potere che ne derivano all'interno di una coppia creata dal caso. Alla forza bruta si oppone uno sguardo buono, che ha il potere di trasfigurare la realtà su cui si posa. Questo gioco di opposizioni dà luogo a una tragedia segnata da un crimine – l'assassinio del Matto – cui segue la morte per dolore di Gelsomina. Come spesso accade in Fellini, le scene finali si svolgono sulla spiaggia, che diviene spazio simbolico del rivelarsi di una crisi interiore: Zampanò, che non ha mai creduto all'amore, osserva il cielo alla ricerca di una risposta alla propria disperazione. Fellini lascia al gesto una certa ambiguità, come se volesse invitare lo spettatore a interrogarsi sull'esperienza in questione e su una possibile via di salvezza.

La strada riscuote un grande successo, che culmina con l'assegnazione dell'Oscar come miglior film straniero. Ciò nonostante il film dà luogo a una

Richard Baseheart, Maria Zanoli, Franco Fabrizi e Broderick Crawford in *Il bidone* (1955).

vivace polemica tra le diverse scuole di pensiero della critica. Gli ambienti marxisti, e in particolare il direttore della rivista *Cinema Nuovo*, Guido Aristarco,[15] ne criticano i valori religiosi, vedendo in ciò un tradimento del Neorealismo. All'opposto, André Bazin ritiene che Fellini, pur partendo da una posizione che deve molto al realismo sociale, finisca per mettere a nudo l'ambiguità del mondo.[16]

La polemica si ripercuote soprattutto sull'accoglienza riservata al *Bidone*, che sembra essere l'opera di Fellini più incompresa del decennio.[17] I personaggi sono una sorta di prolungamento dei perditempo dei *Vitelloni*: ora che il miracolo ha introdotto i valori protestanti del lavoro nella cultura mediterranea, quegli stessi parassiti sono spinti a fare qualcosa nella vita. E così, diventano imbroglioni, "bidonisti" che praticano l'arte della simulazione e della menzogna.

Nella prima sequenza il regista gioca a carte scoperte e indica quali sono i meccanismi della rappresentazione. Augusto (Broderick Crawford) si traveste da vescovo e Picasso (Richard Basehart) da prete. Il travestimento è destinato a ingannare i contadini, schiacciati dal peso ancestrale della religione, vista soprattutto nel suo aspetto rituale, che dà origine a

Broderick Crawford in *Il bidone* (1955).

false verità. L'azione dura cinque giorni, o meglio cinque notti, con relative albe. Progressivamente e paradossalmente, la messa in scena del raggiro si fa riflessione sui suoi stessi meccanismi, e se da un lato *Il bidone* sembra essere un dramma sull'inganno che domina il mondo contemporaneo, dall'altro si pone come un interrogativo sulla natura di una crisi esistenziale e sulla paura del futuro.

Per la prima volta il cineasta propone una riflessione crepuscolare sulla vecchiaia e le sue paure. Augusto è un uomo di mezza età, e quando ritrova la figlia che ha abbandonato e si accorge di non potere rimediare agli errori commessi, si ritrova impigliato in un ingranaggio di menzogne nei confronti di se stesso. Saranno le sue stesse menzogne a impedirgli di agire, lasciandogli solo un senso di disgusto. Come Zampanò nella *Strada*, Augusto è vittima del dolore che ha inflitto agli altri, e finisce tragicamente, abbandonato agonizzante sulla terra arida, con le braccia aperte a croce nella vana ricerca di un cammino di redenzione. Il suo calvario, rappresentato senza sbavature, è quello di un uomo che urla nel deserto. Impressionato dalla forza drammatica della scena, François Truffaut scrive nel suo resoconto del

Fellini al lavoro: "Diario del *Bidone*"

Dominique Delouche ha lavorato come assistente alla regia per* Il bidone, Le notti di Cabiria *e* La dolce vita. *La sua esperienza accanto a Fellini è stata raccolta nei* Cahiers du cinéma *con il titolo* "Diario del *Bidone*", *un testo che costituisce un documento prezioso per capire il metodo di lavoro utilizzato dal regista, in particolare durante le riprese della scena del veglione, epicentro del film, avvenute nello studio Titanus di Roma tra il 10 e il 17 giugno 1955.

Gireremo seguendo il filo cronologico dell'azione, il che non costituisce la soluzione più economica (perché bisogna tenere tutte le comparse e tutti gli attori per l'intera durata delle riprese), mentre facilita il lavoro del regista, favorendone il fluire dell'ispirazione. La scelta dei visi e un'intenzionale interferenza tra l'uomo e la bestia ricordano le tele di Hieronymus Bosch [...] Fellini esige che si abbia un'attenzione personale per ognuna delle comparse, a cui dà del tu e che chiama per nome, creando un'atmosfera al tempo stesso di familiarità e di severità.

Mi sembra che in questa scena Fellini lavori su tre piani: il piano psicologico, quello dell'atmosfera e quello metafisico. Il primo è dato dai primi piani, dai visi, in particolare quello di Rinaldo, prototipo dell'imbroglione, con lo sguardo appannato dalla cocaina, il mento sfuggente e la calvizie dissimulata, che ricorda i debosciati delle novelle di Pavese. L'atmosfera è data dalla frenesia da bordello, dal piacere discinto, dal fumo, dalla carne in mostra, dalla spuma dello champagne. La metafisica è la visione dantesca, la rappresentazione della concupiscenza nelle sue diverse forme.

La cordialità nel lavoro, che in alcuni momenti significa anche pazienza, è in fondo un segno della sovranità del regista. Il disordine e l'irriverenza del set non lo prostrano mai, sicuro com'è di restarne sempre padrone e di poterlo riportare a materia obbediente ogni volta che lo desideri. Spessissimo, di fronte a una libera iniziativa che scompagina i suoi piani, invece di respingerla, di irrigidirsi nelle sue intenzioni, la trasforma, appropriandosene. Quanti registi, invece, se la prendono a sproposito con la troupe per convincersi della propria capacità di controllarla, per combattere le incertezze, le difficoltà e il panico?

Chi arrivasse sul set in quel momento avrebbe l'impressione di trovarsi nel mezzo di un sogno subacqueo. Il movimento della cinepresa risulta particolarmente delicato, e il cineasta, con l'occhio all'obiettivo, ha richiesto il silenzio più assoluto. Le luci ricordano i fari di un sottomarino. Alcune coppie ballano senza spostarsi per non perdere il segno, ondeggiando come alghe. Su una poltrona sono adagiate tre donne: l'ostrica da perla, l'albero del corallo e il pesce sega. Alcuni crostacei giacciono sul tappeto. Il giraffista con la sua lunga asta e Martelli che scruta visi con la lampada in mano sembrano due palombari. Tutto ciò è meravigliosamente assurdo nel silenzio e nella penombra, ti lascia giusto il tempo di ritornare spettatore ingenuo e di dimenticare i come e i perché del cinema.

Dominique Delouche, "Journal de *Il Bidone*", *Cahiers du cinéma*, n. 57, marzo 1956.

Richard Baseheart e Broderick Crawford in *Il bidone* (1955).

Pagina a fronte: Federico Fellini sul set di *Il bidone* (1955).

Festival di Venezia: "Resterei ore a guardare morire Broderick Crawford".[18]

Le notti di Cabiria è la storia di una donna che vuole essere amata. Anche Cabiria (Giulietta Masina) può essere vista come una lunatica ma, contrariamente a Gelsomina, non è una vittima indifesa. È una prostituta che non prova alcun senso di colpa e che intende avere una vita normale. In una delle scene principali del film assiste a un numero di magia in un teatro di varietà, quando il mago le chiede di salire sul palco e la ipnotizza. Cabiria confessa allora al pubblico il desiderio di una nuova vita, la sua voglia di sposarsi, di avere dei figli e una casa. Ma al risveglio, nulla di tutto ciò si realizza. Ancora una volta, la scena dà corpo alla dialettica, già presente in *Lo sceicco bianco*, tra il mondo delle rappresentazioni, fonte di illusioni, e il mondo reale, non sempre generoso.

I desideri di Cabiria non hanno nulla a che vedere con quelli della morale borghese, che da sempre nutrono il melodramma tradizionale. Cabiria aspira all'amore in un mondo che ne è privo, senza per questo mettere in discussione la sua professione – la prostituzione – o ricercare una vita agiata. Si accontenta di mantenere viva la speranza, quando la sua vita è fatta solo di sfortuna e delusioni. All'inizio, mentre aspetta di essere baciata dall'amante con cui convive, in una scena che ricorda le rappresentazioni hollywoodiane dell'amore romantico, finisce invece per essere da questi derubata e gettata in acqua. Un gesto che si ripete nell'ultima sequenza.

La struttura frammentata del film consente al racconto di rappresentare senza logica causale mondi diversi. I personaggi iniziano a muoversi in luoghi e spazi che finiscono per essere altrettanti universi vitali. Si genera allora una tensione tra le scene di folla deliberatamente sovraccaricate – la processione al santuario del Divino Amore o la festa nel night club – e i momenti di solitudine durante i quali Cabiria desidera trasformare i suoi sogni in realtà. La storia inizia così a liberarsi della tirannia della trama e le scene acquisiscono maggiore autonomia, prefigurando la struttura a episodi della *Dolce vita*. D'altro canto, di fronte alla tematica della prostituzione, gli ambienti cattolici, che avevano sostenuto le prime opere di Fellini, prendono le distanze.

François Périer e Giulietta Masina in *Le notti di Cabiria* (1957).

Pagine successive: Giulietta Masina e Amedeo Nazzari in *Le notti di Cabiria* (1957).

Dopo il miracolo economico

Da *La dolce vita* ad *Amarcord*

Marcello Mastroianni e Anita Ekberg in *La dolce vita* (1960).

Pagine successive: Marcello Mastroianni in *La dolce vita* (1960).

La nuova Babilonia

Alla fine degli anni '50 Fellini è ormai famoso, soprattutto grazie al secondo Oscar, assegnatogli per *Le notti di Cabiria*, e ha grande libertà d'azione. La morte di suo padre Urbano gli provoca tuttavia una profonda crisi personale, alimentata anche dal clima di ostentazione borghese che, proprio in quel periodo, incomincia a regnare nella capitale. Ora che il miracolo economico li ha portati al benessere, gli italiani cominciano a darsi ai piaceri effimeri, e i media creano a poco a poco una nuova società dello spettacolo. Sono gli anni in cui Roma diventa il paradiso delle star americane decadenti, che sognano di costruire una Hollywood sul Tevere. Un paradiso i cui echi jazz animano le notti dei cabaret e dove la vita mondana del jet set viene spiata dai paparazzi perennemente a caccia di scoop. Partecipe egli stesso di quella "dolce vita", Federico Fellini filma negli studi di Cinecittà l'atmosfera del tempo, nel tentativo di cogliere la decadenza di una certa civiltà occidentale che ha fatto di Roma la nuova Babilonia.

La dolce vita mette così in scena tutta una serie di personaggi che forzano il piacere nell'ossessivo inseguimento di una felicità che non raggiungono mai. Testimone e attore al contempo di quest'agitazione romana è Marcello Rubini (Marcello Mastroianni), uomo combattuto tra le sue aspirazioni intellettuali frustrate e la voglia di abbandonarsi ai luoghi della mondanità e ai loro fantasmi. Fellini è Marcello, che osserva con occhio complice, scevro da qualsiasi moralismo.

Il film si articola intorno a quattro feste, che appaiono come stanchi baccanali. La prima è organizzata in occasione dell'arrivo di una star del cinema, Sylvia (Anita Ekberg). La seconda mette in scena un gruppo di intellettuali che ruota intorno allo scrittore Steiner (Alain Cuny), i quali si rifiutano di vivere in un mondo che appare loro banalmente prevedibile. I personaggi della terza festa sono aristocratici corrotti, veri e propri spettri arcaici che celebrano i loro riti sulle ceneri del passato, mentre l'ultima chiama a raccolta una serie di artisti eccentrici, privi di legami affettivi, che si ritrovano in una villa per esibirsi in situazioni umilianti. Un'opprimente dimensione onirica caratterizza ogni festino, che termina sempre con un doloroso ritorno alla realtà, come se qualsiasi situazione di piacere si dovesse necessariamente concludere con una tristezza postcoitale. Dopo aver fatto l'amore con la ricca Maddalena nel letto di una prostituta, Marcello deve infatti correre in aiuto della fidanzata, che ha tentato il suicidio. Analogamente, dopo aver passato la notte a invocare gli spiriti in casa

degli aristocratici, il giornalista viene a sapere che Steiner ha ucciso i suoi figli e poi si è sparato. Infine, nell'ultima scena, dopo una notte trascorsa a fare lo striptease, i borghesi scoprono sulla spiaggia un pesce mostruoso e inquietante, mentre Marcello osserva una ragazzina che non riesce a udire, forse perché, una volta entrati nella nuova Babilonia, è impossibile ritrovare l'innocenza di un tempo.

Il ritmo delle feste è scandito dall'onnipresenza dei paparazzi. Mentre nei *Vitelloni* e nel *Bidone* la menzogna è un gioco di maschere in senso teatrale, nella nuova società dello spettacolo la realtà è creata dai flash dei giornalisti, che hanno acquisito il potere di creare un falso miracolo religioso e saccheggiano qualsiasi intimità, compresa quella del più grande dei dolori. Quel che accade alla moglie di Steiner, che ancora ignara della tragedia che si è abbattuta sulla sua famiglia, è assediata dai giornalisti, davanti ai quali posa come se fosse un'attrice.

L'anno in cui Michelangelo Antonioni sconvolge il pubblico con *L'avventura* (1960),[19] Fellini, con *La dolce vita*, irrompe nella modernità. Ormai i film del cineasta non mirano più alla rappresentazione oggettiva di un mondo coerente, ma si reggono sulla scoperta pulsionale di un universo effimero, privo di ogni senso. Fellini costruisce *La dolce vita* come un'opera aperta, strutturata intorno a una serie di spazi opprimenti, attraversati da attori dai visi generalmente caricaturali. Da questo film in poi le sue trame appaiono come "climax, curve della temporalità drammatica. Ogni sequenza, in realtà, è un numero a sé stante".[20]

La dolce vita (1960).

Marcello Mastroianni e Anita Ekberg in *La dolce vita* (1960).

Maschile/Femminile

Scosso dal successo di *La dolce vita* e dallo scandalo che il film provoca in alcuni ambienti conservatori, Fellini entra in analisi. Il dottor Ernest Bernhard lo introduce alle teorie di Carl G. Jung e gli fa capire che, contrariamente al freudismo, che vede nell'attività onirica solo una manifestazione del rimosso, l'inconscio può racchiudere un ricco immaginario poetico. La lettura di Jung porta Fellini a esplorare il simbolismo dell'inconscio collettivo e a convincersi che le immagini irrazionali possono essere emotivamente affascinanti, tanto che incomincia a prendere in considerazione un cinema senza linea di demarcazione tra reale e immaginario, in immersione totale nella psiche. Egli stesso dichiarerà che grazie a Jung ha fatto del suo cinema "un punto d'incontro tra scienza e magia, tra razionalità e fantasia".[21] L'influenza dell'analisi lo induce così a esplorare il proprio io maschile in *8½* (1963) e a riflettere sulla femminilità in quanto alterità complessa in *Giulietta degli spiriti* (1965). La fiction crea così una serie di immagini di forte impatto visivo in cui i personaggi, che funzionano come doppi di Federico Fellini e Giulietta Masina, danno corpo ai propri fantasmi.

Il primo ricorso evidente di Fellini alle strutture oniriche avviene nel 1962, nel mediometraggio *Le tentazioni del dottor Antonio*, episodio dell'opera collettiva *Boccaccio '70*.[22] Il tema di fondo è la storia di un uomo inibito dalle convenzioni della morale, che prova una forte attrazione sessuale per l'immagine di Anita Ekberg che campeggia su un manifesto. Fellini prende in esame lo scontro tra morale e desiderio sessuale, e riflette sulla funzione dell'immagine come elemento atto a stimolare il desiderio collettivo.

Riprese di *La dolce vita* (1960).

AIR
INDIA

Fellini e le donne

Il cinema di Fellini esplora il modo in cui la nuova società del benessere ha messo in crisi il maschilismo tradizionale e ha aperto la via a una nuova donna indipendente. Per Fellini la donna rappresenta soprattutto il mistero dell'alterità; il suo universo femminile è proteiforme, e se i tipi sono molti, alcuni sono solo semplici caricature che esistono unicamente nella psiche maschile. La figura originaria della donna, in Fellini, è quella della "lunatica" che trova in Giulietta Masina la sua più piena espressione: come Wanda (Brunella Bovo) nello *Sceicco bianco*, la sognatrice il cui sguardo non può fare a meno di trasfigurare poeticamente la realtà, Gelsomina nella *Strada*, Cabiria nelle *Notti di Cabiria* o, ancora, Amelia in *Ginger e Fred* sono tutte figure ingenue i cui sogni si sostituiscono al quotidiano più crudo.
La protagonista di *Giulietta degli spiriti* incarna il prototipo della moglie infelice che fa a sua volta soffrire l'uomo, il quale, alle prese con le proprie contraddizioni, la vede come la sua cattiva coscienza. Come la Nora del testo teatrale *Casa di bambola* (1879) di Henrik Ibsen, Giulietta decide di liberarsi dalla sudditanza al marito. La donna-moglie appare instabile e piena di contraddizioni quando è ancora nella condizione di amante-fidanzata, come Emma in *La dolce vita* (Yvonne Furneaux), che aspira solamente a possedere il marito. Quando è invece una moglie indipendente, come Luisa in *8½* (Anouk Aimée), è molto più impietosa, perché si rifiuta di fingere di credere alle menzogne del marito. Infine, incarna la coscienza dell'eccesso nella *Città delle donne*, dove la moglie (Alessandra Panelli) accusa Snaporaz di essere un egoista ossessionato dalla donna come oggetto sessuale.
L'opposto di questa figura di moglie è l'amante sensuale, che ha spesso un fisico da star hollywoodiana, perfettamente incarnata da Sandra Milo in *8½* e *Giulietta degli spiriti* e da Magali Noël nel ruolo della Gradisca in *Amarcord*. Oggetto del desiderio degli adolescenti, può essere l'incarnazione dell'amante sottomessa per gli adulti e si oppone alla donna grottesca dagli attributi sessuali ipertrofici, che è pura animalità libidica. Quest'ultima è rappresentata dalla tabaccaia dal seno opulento in *Amarcord* (Maria Antonietta Beluzzi), dalla Saraghina (Edra Gale) che inizia gli adolescenti sulla spiaggia in *8½* o, ancora, dalle prostitute dei bordelli di Roma, tutte prefigurazioni della sessualità grottesca e decadente che popola l'immaginario del *Casanova di Federico Fellini* e della *Città della donne*.
Fellini esplora anche l'immagine della donna ideale, irraggiungibile, che può essere un mito dello star system, come Anita Ekberg nella *Dolce vita*, o la femmina dall'aria virginale, come Claudia in *8½* (Claudia Cardinale). Ma se la si riesce a raggiungere, questa donna ideale si trasforma in automa, come nel caso del manichino partner dell'ultimo ballo di Casanova.

A destra: Anouk Aimée in *8½* (1963).
Sotto (a sinistra): Claudia Cardinale in *8½* (1963).
Sotto (a destra): Marcello Mastroianni e Yvonne Furneaux in *La dolce vita* (1960).

Pagina a fronte:
In alto: Federico Fellini e Giulietta Masina sul set di *Le notti di Cabiria* (1957).
In basso: Anita Ekberg in *La dolce vita* (1960).

Edra Gale (a destra) in *8½* (1963).

Pagina a fronte: Marcello Mastroianni sul set di *8½* (1963).

Pagine successive: Marcello Mastroianni e Sandra Milo in *8½* (1963).

L'onirismo disordinato delle *Tentazioni del dottor Antonio* apre al sovradimensionamento del sogno, che appare evidente fin dalle prime immagini di *8½*. Intrappolato in un soffocante ingorgo stradale, Guido Anselmi (Marcello Mastroianni) esce dall'auto attraverso il finestrino per sorvolare prima le automobili, poi una spiaggia, dove, legato a un filo, viene manovrato come un aquilone dal suo avvocato. La scena rivela già l'impostazione del film, che ha per tema l'interiorità dell'artista. Guido cerca di creare partendo dalle sensazioni e dai sogni: si libra in volo nell'immaginazione per poi essere riacciuffato dalla realtà e dalle sue molteplici voci. *8½* sembra quindi concepito come un sistema piuttosto complesso di strati sovrapposti, in cui il contenuto della storia è inscindibile dal suo modello di costruzione. È una riflessione non soltanto sul cinema, ma anche sull'esperienza di un regista in perenne conflitto con il suo immaginario, che fa delle proprie angosce la materia prima della sua opera. La confusione tipica dell'esistenza diventa la base di un processo creativo singolare da cui scaturisce il film, come figura di un cinema nuovo che disarticola tanto la fonte di enunciazione del racconto quanto il punto di vista.[23]

Guido Anselmi è l'immagine del cineasta allo specchio: narcisista e desideroso di rappresentare tutto il suo universo nella sua opera, egli stenta a imboccare una via. Attraverso un personaggio d'invenzione, Fellini combatte la sua stessa insicurezza nel momento in cui appare all'apice della gloria ma vive un conflitto interiore. Il regista dà corpo ai suoi stessi fantasmi, ricrea le frustrazioni dell'infanzia

Sandra Milo e Marcello Mastroianni in *8½* (1963).

Pagina a fronte: Marcello Mastroianni in *8½* (1963).

e sceglie il sogno come accesso ai propri desideri inappagati, ricercando una certa armonia nel caos del reale. Benché il film abbia per tema le riprese di quello che sembrerebbe un film di fantascienza, lo spettatore ha la sensazione che l'opera che Guido Anselmi sta creando non sia altro che *8½*. Gli attacchi e le accuse al film non realizzato permettono così a Fellini di esorcizzare i suoi stessi fantasmi e le possibili critiche sul suo conto. La paura di procedere sfocia nelle ultime scene in un suicidio simulato, che prelude alla rinascita del regista rappresentata dalla sfilata finale, in cui tutti i personaggi del suo mondo si riuniscono in un inno alla vita e alla creatività.

Il metaracconto di *8½* dà corpo anche alle diverse figure della femminilità che popoleranno la futura produzione di Fellini. L'opposizione fondamentale è quella tra Carla (Sandra Milo), amante materna ideale, e Luisa (Anouk Aimée), moglie dalla vita tutt'altro che semplice accanto a un uomo che rincorre altri modelli femminili, cui si affianca un'altra figura centrale, Claudia (Claudia Cardinale), la donna perfetta, ideale inaccessibile dalla bellezza quasi divina. Accanto a loro, Gloria (Barbara Steele), l'intellettualoide pedante che non riesce a scorgere al di là delle apparenze, e la Saraghina (Edra Gale), un essere grottesco che rimanda alle pulsioni sessuali

L'autore e i suoi doppi

Gran parte della produzione di Fellini si basa sull'elaborazione di un'autobiografia inventata, in cui l'immaginario amplifica la realtà. L'io non si esprime alla prima persona singolare, ma attraverso una serie di doppi che sono altrettanti riflessi dei molteplici volti dell'autore.
L'infanzia risorge nei *Clowns*, nella scena in cui il doppio del piccolo Fellini scopre il circo. In *Roma* lo stesso bambino è a scuola e fantastica sui miti dell'antica Roma. *Amarcord* è interamente dedicato all'adolescenza, ma invece di ricorrere a un doppio, il cineasta proietta i suoi ricordi su diversi personaggi e dà spazio al giovane Titta, suo vecchio compagno di scuola. Nei *Vitelloni* appare evidente come il mondo rappresentato sia quello della giovinezza del regista e quanto Moraldo (Franco Interlenghi), che come lui fugge nella capitale nel 1939, gli assomigli. Per il personaggio del giovane provinciale di *Roma* (Peter Gonzales) che scopre la sessualità nei bordelli romani, Fellini riprende alcune idee di una sceneggiatura mai divenuta film, *Moraldo in città*. L'identificazione non è totale, ma nonostante lo scarto, è evidente che c'è qualcosa di lui in quel Moraldo approdato nella grande Roma alla fine degli anni '30, spinto dal desiderio di scoprire i piaceri occulti della capitale. L'immagine idealizzata di questi primi anni a Roma appare anche in *Intervista*, nel personaggio del giovane giornalista (Sergio Rubini) che non pensa ad altro che a intervistare una star di Cinecittà.
Ma il doppio per antonomasia del cineasta è Marcello Mastroianni, che compare in sei film. Il primo personaggio della loro collaborazione è il giornalista Marcello nella *Dolce vita*. Attraversando i paradisi artificiali di una certa Roma agiata, Marcello conduce il racconto e, come Fellini, fa la cronaca di un certo stile di vita che è anche suo. In *8½* il processo di identificazione è più complesso: Fellini e Anselmi sono entrambi cineasti a corto d'ispirazione, che proiettano i loro fantasmi sul mondo circostante. Dopo una fugace apparizione in *Block-notes di un regista*, Guido Anselmi diventa Snaporaz nella *Città delle donne*, dove il doppio viene immerso nel mondo fantasmatico dell'inconscio femminile, è perso nei sogni e negli incubi generati dal desiderio. I doppi virtuali sono numerosi in *Ginger e Fred*. Marcello qui è Pippo che, come Fellini, si sente estraneo al nuovo mondo-simulacro che lo circonda. Fellini-Marcello ritrova il suo alter ego femminile Amelia (Giulietta Masina), con la quale condivide il sentimento di impotenza di fronte al tempo perduto. In *Intervista* l'elaborazione del doppio è più sofisticata: Fellini si mostra nell'atto di truccare il suo alter ego giovanile (Sergio Rubini), quindi incrocia Marcello trasformato in Mandrake il mago per scomparire con lui nelle brume del passato.

Giulietta Masina e Sandra Milo
in *Giulietta degli spiriti* (1965).

dell'adolescenza. Guido riunisce tutte queste donne in un harem domestico dove tenta di dominarle, considerandole figure costitutive della propria psiche.

A partire da *8½* il cinema di Fellini assume una valenza terapeutica. I personaggi diventano sempre più caricaturali, i confini tra fiction e realtà si fanno più labili e il lavoro di *mise en abyme* trasforma i film in rappresentazioni complesse dell'interiorità dell'artista. Nel film *Giulietta degli spiriti*, opera speculare a *8½*, il soggetto analizzato è una donna, Giulietta, appunto, impersonata dalla moglie del regista, Giulietta Masina. Il film è popolato di spiriti, incarnazioni simboliche dei fantasmi repressivi di una moglie soffocata dal fardello familiare. Il tema di fondo è quello della rottura coniugale che si determina lungo il percorso di emancipazione di Giulietta. Il marito Giorgio (Mario Pisu) ricorda Guido Anselmi e finisce per apparire come una caricatura di Fellini modellata su alcuni tratti archetipici. La liberazione di Giulietta passa per la presa di coscienza della propria condizione femminile, che la porta a ritrovare se stessa.

Questo viaggio interiore si presenta come un esorcismo disseminato di una serie di incursioni nel territorio dell'infanzia (Giulietta interpreta il ruolo della martire in una recita) e della mitologia familiare (la storia del nonno fuggito con una ballerina del circo). Giulietta confronta continuamente la propria immagine di donna modesta con altri modelli femminili. La sensualità è rappresentata dalla vicina Susy (Sandra Milo, in un ruolo simile a quello che aveva in *8½*), cui si contrappone il personaggio della madre, che con la sua rigidità soffocante frena le pulsioni di Giulietta bambina.

Fin dalla prima sequenza Giulietta sembra persa nel suo mondo, come se vivesse in una casa delle bambole. La sua vita dipende esclusivamente dal marito, e quando sospetta che questi la tradisca, cerca la verità nello spiritismo e ingaggia un detective privato. Ma non è solo dal consorte che Giulietta si affranca: il suo percorso di crescita la condurrà anche, e soprattutto, a ritrovare se stessa e a liberarsi dal fardello psichico delle vecchie mitologie. Primo film a colori di Fellini, *Giulietta degli spiriti* gioca in

Pagina a fronte: Sandra Milo e Giulietta Masina in *Giulietta degli spiriti* (1965).

Sandra Milo, Giulietta Masina e Valentina Cortese in *Giulietta degli spiriti* (1965).

Terence Stamp in *Toby Dammit* (1968).

maniera particolarmente interessante con tre toni cromatici simbolici, il bianco, il rosso e il verde della bandiera italiana.

La soglia della morte

Nel 1965 Fellini è insoddisfatto della tiepida accoglienza riservata a *Giulietta degli spiriti*: per la prima volta nella sua carriera nessun festival accetta il film, che viene presentato direttamente nelle sale. La critica fa le sue riserve, definendolo caotico, stravagante ed eccessivo, mentre il Centro Cattolico Cinematografico[24] lo sconsiglia apertamente. Per di più Fellini attraversa una forte crisi professionale: gli sceneggiatori Ennio Flaiano e Tullio Pinelli pongono fine a una collaborazione quindicinale e Gianni Di Venanzo, direttore della fotografia negli ultimi film, muore di epatite. Fellini si sente solo e abbandonato da tutti, meno che dal fedele Nino Rota. Per superare la crisi inizia a scrivere la sceneggiatura del *Il viaggio di G. Mastorna*, la storia di un aereo che riesce ad attraversare faticosamente una tempesta di neve ed è costretto a un atterraggio di emergenza in una città sconosciuta. Tra i passeggeri si trova Mastorna, che dopo avere passeggiato in uno mondo strano, si rende conto di avere varcato la soglia della morte. La sceneggiatura, scritta con Dino Buzzati, subisce numerosi rimaneggiamenti. Quando finalmente si trova il produttore in Dino De Laurentiis, e si allestisce un set costosissimo, Fellini viene colto da un infarto. Ricoverato d'urgenza, durante la lunga convalescenza scrive *La mia Rimini*,[25] cui segue una crisi personale che lo induce a rinunciare al progetto di Mastorna. Il film continuerà comunque a ossessionare il regista tanto da diventare la principale fonte di ispirazione delle opere successive. Mastorna segna anche l'inizio di una nuova tappa più cupa e pessimista.

La prima opera di questo nuovo ciclo è *Toby Dammit* (1968), mediometraggio che costituisce un episodio di *Tre passi nel delirio*, produzione franco-italiana ispirata alle *Storie straordinarie* di Edgar Allan Poe.[26] Il punto di partenza è l'immagine di un ponte semidistrutto e di una testa mozzata da un filo spinato, e il film descrive il tragitto di un personaggio verso questa crudele immagine della morte. Inizia con un turbolento viaggio in aereo a Roma, chiaramente ripreso dalla trama di Mastorna, cui seguono gli spostamenti sulla scena della celebrità di un attore egocentrico e alcolista (Terence Stamp), che si trova in Italia per girare una sorta di "western

Fellini Satyricon (1969).

cattolico". Dopo una cerimonia di consegna di premi, questi si lancia in una corsa folle al volante di una Ferrari rossa attraverso un paesaggio allucinato, illuminato unicamente dai fari della sua automobile, e lì va incontro alla morte, decapitato su un ponte diroccato nella nebbia mentre una piccola diavolessa osserva la scena. *Toby Dammit* è la messa a nudo di una realtà d'oltretomba, come se Fellini volesse ricorrere alla fiction per dare corpo ai mostri sorti dalla sua malattia, un cupo manifesto sulla rappresentazione della morte, in particolare quando quest'ultima non è un punto d'approdo, ma di partenza.

Le paure e i fallimenti di Fellini artista compaiono anche in *Block-notes di un regista* (1968). Questa volta non si tratta di una fiction autoreferenziale come in *8½*, ma di un documentario sotto forma di appunti in vista di un possibile saggio sulla creazione felliniana. Il regista approfitta di un incarico avuto dalla televisione americana[27] per seppellire Mastorna; non a caso lo scenario è uno spazio fatiscente, simbolo della perdita. E in questo modo fissa le linee guida della sua opera seguente, *Fellini Satyricon* (1969). L'originalità di *Block-notes di un regista* non consiste soltanto nella sua costruzione, ma anche nel fatto che gli appunti appaiono come la prefigurazione della strategia impiegata nei *Clowns* e in *Roma*, *Prova d'orchestra* e *Intervista*. Questi film, costruiti apparentemente su un registro minore, in realtà usano, facendone altro, le forme del documentario. I documentari qui non nascono come discorso sul mondo empirico, ma sono piuttosto interessanti laboratori di scrittura: Fellini conferisce alla sua opera un carattere metadiscorsivo, come se si trattasse di un abbozzo simulato del suo processo creativo.

Se in *Block-notes di un regista* i colossal sull'antica Roma sono evocati come parte dell'inconscio infantile del cineasta, in *Fellini Satyricon* la rilettura dell'antichità attraverso il testo di Petronio appare come un'antitesi di quel vecchio cinema. Il film è una sorta di anticolossal, che dissolve la dimensione monumentale nella ricostruzione dell'epoca romana a partire dalle sue rovine. La civiltà scomparsa è risuscitata attraverso immagini atrofizzate delle vestigia del passato e i dipinti di Pompei suggeriscono un rigoglioso processo creativo in cui gli spazi onirici, i visi grotteschi ben al di là della caricatura e i colori saturi provocano una sorta di apoteosi figurativa che fa di *Fellini Satyricon* un film morboso, strano e visionario.

Mario Romagnoli (a destra),
Capucine e Magali Noël
in *Fellini Satyricon* (1969).

Fellini prova una particolare attrazione per la forma frammentaria e incompiuta dell'opera di Petronio, che gli permette di rompere di nuovo la logica causale del racconto e di fare di quest'ultimo un processo di elaborazione di forme, di creazione di un mondo. La Roma evocata dal Fellini non intende essere una Roma reale nel senso storico, né una Roma mitica alla maniera dei vecchi colossal, ma una Roma spettrale, la capitale di una civiltà in crisi, che sta divorando se stessa.

L'intreccio è molto debole. Il giovane Encolpio è afflitto perché il suo amante Gitone se ne è andato con il suo amico Ascilto. La ricerca dell'amante, la sua perdita e il successivo incontro con il rivale sono gli unici momenti che permettono a Fellini di tracciare un itinerario attraverso questo mondo antico, riportato in luce grazie a uno scavo archeologico nell'inconscio occidentale. Il percorso di Encolpio è disseminato di incontri e di incursioni in mondi continuamente abitati dalla morte: è il caso del ricco Trimalcione, che termina il suo sontuoso banchetto simulando la propria morte, o del mercante Lica, che muore decapitato dagli invasori che gli annunciano l'avvento di una nuova era, o, ancora, della coppia di nobili patrizi che si suicida. Infine, nelle ultime scene, Ascilto muore per mano di uno dei pescatori e il poeta Eumolpo nomina propri eredi coloro che mangeranno il suo cadavere. *Fellini Satyricon* è una riflessione su un mondo in crisi, in una sorta di prolungamento della *Dolce vita*. La differenza tra i due film risiede principalmente nel fatto che qui il peso dell'onirismo è accentuato e l'atmosfera erotica viziosa – le orge e il continuo passaggio dall'etero all'omosessualità – è molto più esplicita.

I clown e la città

Con *Fellini Satyricon* il regista rinnova ancora una volta la sua immagine e dimostra di sapersi circondare di nuovi collaboratori: il produttore Alberto Grimaldi, con cui girerà anche il controverso *Casanova* (1976), il direttore della fotografia Giuseppe Rotunno e lo sceneggiatore Bernardino Zapponi. Ma il personaggio centrale della nuova troupe è Danilo Donati, scenografo e costumista, che costruisce l'universo onirico di Fellini utilizzando come base i disegni e le caricature del regista. L'importanza dello scenografo finirà per essere fondamentale, perché a partire da questo

Federico Fellini sul set di *I Clowns* (1970).

ALTO
BASSO

Sopra e pagina a fronte: *Roma* (1972).

momento le riflessioni sulle molteplici dimensioni della realtà e sulla costruzione del soggetto cedono il passo a un lavoro sull'estetica espressionista, che rivendica una certa idea di cinema come costruzione demiurgica.[28] Gli studi di Cinecittà, dove ha già fatto ricostruire via Veneto per *La dolce vita*, diventano per il regista un luogo in cui vivere e creare: nello Studio 5 di Cinecittà Fellini ha il potere di ricostruire il mondo. Qui la Roma antica di *Fellini Satyricon* e quella moderna di *Roma* possono diventare reali, come la sua Rimini natale di *Amarcord* o la Venezia onirica del *Casanova*. Nemmeno tra una ripresa e l'altra il regista abbandona gli studi, mentre cerca nuovi attori, legge le sceneggiature o disegna nuovi mondi possibili. Il Fellini che elabora forme eccessive come proiezioni dei suoi deliri d'ora in avanti andrà di pari passo con un regista moderno che si interroga continuamente sulla sua creazione e dà vita a mondi che sono una proiezione di se stesso. Questo regista che si oppone al racconto classico gioca a carte scoperte nei *Clowns* (1970) e in *Roma* (1972).

Nel primo dei due film, il cineasta afferma a un certo punto che i clown che vivono sotto i tendoni del circo appartengono anch'essi alla grande famiglia degli esseri strani e mostruosi che esibiscono la loro follia nelle cittadine italiane di provincia. Ma dove cercare le figure del clown bianco e dell'augusto (quello con il nasone rosso e il frac, più comunemente chiamato pagliaccio)? Il quesito è fondamentale, perché pone l'accento sulla concezione caricaturale del lavoro di Fellini regista. Come i volti incarnano le nevrosi dell'anima, i fisici grotteschi del clown e del pagliaccio rivelano una follia che è vicinissima all'immaginario allo stato puro. Gli augusti ci ricordano del resto che lo spettacolo del circo è una metafora del mondo. Il clown bianco diviene così una figura apollinea e l'augusto una creatura dionisiaca. Inizialmente prodotto dalla RAI nell'ambito di una politica di riavvicinamento tra televisione e cinema d'autore, *I clowns* è concepito come un abbozzo documentario in omaggio al mondo del circo, in cui sono inserite interviste ad artisti mitici. La pellicola mescola così

il documentario-testimonianza, l'evocazione della rivelazione dello spettacolo in Fellini bambino e una funerea riflessione sulla morte dei clown, in particolare nel finale, con il numero circense del funerale del pagliaccio, che rivela la volontà del cineasta di trasformare la pellicola in un requiem sull'inevitabile agonia delle illusioni.

Compimento in qualche modo del progetto *Moraldo in città*, che si intravedeva già in filigrana nell'abbozzo della *Dolce vita*, *Roma* non è né una sinfonia urbana sulla città, né un documentario sulle sue stravaganti peculiarità, né l'evocazione di un'esperienza personale attraverso i suoi luoghi. Anche se il film presenta a tratti alcuni di questi elementi, Fellini va al di là, e costruisce un caleidoscopio in cui il mito della città eterna si sovrappone al reale, e il vissuto al sogno.

Roma — le cui scene, compreso il momento dell'arrivo in città dall'autostrada, sono per lo più girate nello Studio 5 di Cinecittà — si regge su un'enunciazione complessa, che dà luogo a tre livelli di rappresentazione. Innanzitutto la città come mito. Prima ancora che Roma compaia sullo schermo, se ne legge il nome su un cartello vicino a un fiume, il Rubicone, che viene attraversato da un gruppo di scolari riminesi: la capitale preesiste come luogo di eroiche conquiste del passato, ma anche come luogo all'origine del desiderio di fuga dalla vita di provincia. È uno spazio creato dal territorio dell'infanzia, che funziona come illusione.

Roma appare poi come città materialmente presente e in perenne trasformazione, con i suoi particolarissimi ambienti, dove le rovine e gli affreschi giacciono al di sotto dei segni della civiltà moderna. Fellini percorre non solo questa città nostalgica, che lo ha accolto in gioventù, ma anche quella attuale, che non si stanca di ricreare. La Roma delle allegre mangiate all'aperto nelle trattorie di Trastevere e degli scalcinati numeri di varietà degli anni '40 contrasta con la Roma degli anni '70 in cui Fellini interpreta se stesso. La Roma moderna è quella del traffico e degli hippy in levitazione sulle scale di

Roma (1972).

Armando Brancia, Giuseppe Lanigro e Bruno Zanin in *Amarcord* (1973).

piazza di Spagna, ma anche quella degli scavi per la metropolitana che riportano alla luce pitture del passato, destinate a scomparire non appena vengono in contatto con un presente che non è il loro.

Accanto a questa Roma attraversata dalla nostalgia e dalla crisi della civiltà esiste una terza città, sorta dalla proiezione dell'inconscio, in cui i mondi invisibili sembrano sovradimensionati al punto da trasformarsi in veri e propri incubi. All'interno di questa Roma occulta, i bordelli del dopoguerra e del presente offrono una curiosa mescolanza di grottesco e patetico. La città clandestina è anche il covo dell'aristocrazia nera, vicina agli interessi politici ed economici del Vaticano, che trasforma il potere della Chiesa in una sfilata di moda ricreata come un atto di esibizionismo onirico.[29] Nel finale compare l'immagine di una donna che di Roma è il simbolo, Anna Magnani, icona dell'altro mito creato dal cinema, il Neorealismo e la sua *Roma città aperta*.

L'adolescenza reinventata

Secondo la psicanalisi freudiana le esperienze passate sedimentano in modo disordinato nell'inconscio, e mentre la coscienza regola il flusso dell'esperienza presente, tutti gli elementi del passato si disvelano involontariamente come proiezioni della psiche. In *Amarcord*[30] (1973) Fellini mette in atto un particolare processo di reinvenzione di fugaci sensazioni della sua adolescenza, il cui punto di partenza è l'idea del ricordo come proiezione. Qui ricordarsi non è soltanto rivivere, ma anche inventare. Il regista dà vita al progetto con la complicità del poeta e sceneggiatore Tonino Guerra, nato il suo stesso anno in un paese a dieci chilometri da Rimini, che avendo lavorato negli anni '60 con Antonioni, Rosi e i fratelli Taviani, è ormai uno sceneggiatore di prestigio.

Non c'è un'immagine reale di Rimini in tutto *Amarcord*, solamente una serie di scenari costruiti nello Studio 5 di Cinecittà, talvolta di un irrealismo voluto, come nel caso del mare di plastica su cui navigano gli abitanti della città alla ricerca del *Rex*, un transatlantico dell'era fascista che diviene il simbolo dell'illusorietà fantastica.

Anche se il film funziona come un esercizio personale di richiamo alla memoria, le voci narranti sono molteplici, cosa che consente di eclissare l'io felliniano. Queste propongono alcune idee sulla famiglia, la società, il potere, le illusioni, i miti, finendo per comporre una sorta di poetica della provincia fascista, un mondo dell'infanzia a cui Fellini guarda con ironia e nostalgia, senza per questo scadere nel sentimentalismo. Il racconto collettivo imprime al

La mia Rimini, di Federico Fellini

Nel 1967, dopo aver rischiato di morire a causa di un infarto, in ospedale Fellini inizia a scrivere i suoi ricordi di Rimini. Il testo è una sorta di abbozzo di alcune sequenze e motivi di Amarcord*, nonché una riflessione sul suo modo di concepire la memoria.*

Un fatto è, comunque, certo. Io, a Rimini, non torno volentieri. Debbo dirlo. È una sorta di blocco. La mia famiglia vi abita ancora, mia madre, mia sorella: ho paura di certi sentimenti? Soprattutto mi pare, il ritorno, un compiaciuto, masochistico rimasticamento della memoria: un'operazione teatrale, letteraria. Certo, essa può avere il suo fascino. Un fascino sonnolento, torbido. Ma ecco: non riesco a considerare Rimini come un fatto oggettivo. È piuttosto, e solo, una dimensione della memoria. Infatti, quando mi trovo a Rimini, vengo sempre aggredito da fantasmi già archiviati, sistemati.

Pensare a Rimini. Rimini: una parola fatta di aste, di soldatini in fila. Non riesco a oggettivare. Rimini è un pastrocchio confuso, pauroso, tenero, con questo grande respiro, questo vuoto aperto del mare. Lì la nostalgia si fa più limpida, specie il mare d'inverno, le creste bianche, il gran vento, come l'ho visto la prima volta.

In quel tempo, per partecipare alla cricca dei vissuti, si stava con gli amici al bar di Raoul, il 'caffè degli amici', a metà del Corso. Raoul era grassottello, con una faccetta rotonda, molto attivo. Il bar, fatto sull'esempio dei milanesi d'allora, era frequentato dagli artisti, dalla gioventù inquieta, dagli sportivi. Vi si faceva un po' di fronda politica, un timido accenno. Era il luogo di ritrovo dei vitelloni, d'inverno [...].

Il Grand Hotel, al contrario, era la favola della ricchezza, del lusso, dello sfarzo orientale. Quando le descrizioni nei romanzi che leggevo non erano abbastanza stimolanti da suscitare, nella mia immaginazione, scenari suggestivi, tiravo fuori il Grand Hotel, come certi scalcinati teatrini che adoperano lo stesso fondale per tutte le situazioni. Delitti, rapimenti, notti di folle amore, ricatti, suicidi, il giardino dei supplizi, la dea Kalì: tutto avveniva al Grand Hotel.

Davanti al Caffè Commercio passava anche La Gradisca. Vestita di raso nero che mandava fulgori acciarini, portava i primi ciglioni finti. Nel Caffè, tutti spiaccicavano i nasi sul vetro. Anche in pieno inverno la Gradisca appariva con tenute da *sketch*: i ricciolini, le prime permanenti. [...] Il passaggio della Gradisca creava enormi struggimenti: appetito, fame, voglia di latte.

Federico Fellini, *La mia Rimini*, Guaraldi, Rimini, 2003.

Federico Fellini sul set di *Amarcord* (1973).

Pagine successive: Maria Antonietta Beluzzi e Bruno Zanin in *Amarcord* (1973).

film una forma circolare, da una primavera all'altra. Tra i tanti personaggi emerge la figura del giovane Titta, il quale non è l'alter ego del regista, bensì l'evocazione del suo vecchio compagno di classe Luigi Benzi, personaggio che era già apparso nelle strisce a fumetti del *Marc'Aurelio*. Figlio di un padre dagli ideali anarchici che i fascisti torturano con l'olio di ricino, ha una madre piuttosto possessiva, uno zio fascista "pataca", un nonno che palpeggia il sedere alla domestica e un altro zio che, appena dimesso da un ospedale psichiatrico, durante una scampagnata urla dalla cima di un albero "Voglio una donna!".

Titta e i suoi amici formano un gruppo di futuri "vitelloni" che ciondolano per le vie del paese, partecipano alle sue celebrazioni, approfittano delle luci e delle ombre del cinema Fulgor e sognano paradisi artificiali spiando gli ospiti del Grand Hotel. Le donne occupano un posto particolare in questo universo. La bella Gradisca (Magali Noël) è il prototipo della donna sensuale, incarnata anche da Sandro Milo in *8½*, che tutti gli adolescenti aspirano a conquistare, mentre la tabaccaia dal seno opulento rappresenta piuttosto l'esuberanza del desiderio adolescenziale.

I personaggi di *Amarcord* sono definiti da pochi tratti ben marcati, autentiche caricature in carne e ossa. Fellini introduce la tecnica del fumetto non solo nella loro concezione, ma anche nella regia e nella storia. Le tinte utilizzate per scene e costumi sono infatti sempre piuttosto vivaci e ricordano i colori primari delle vignette della stampa illustrata, mentre la struttura aperta rimanda all'andamento narrativo dei fumetti, in cui il racconto si costruisce a partire da scenette comiche. Questi momenti hanno per oggetto inconsueti eventi collettivi, come il falò di primavera, la Mille Miglia, l'arrivo del *Rex* o, ancora, la cerimonia organizzata in onore di un gerarca fascista. I microracconti che li seguono o li precedono si costruiscono intorno a Titta e ai suoi amici, e intorno alla Gradisca, le cui nozze con un carabiniere concludono la storia. Il ricco caleidoscopio di *Amarcord* rappresenta uno dei vertici della produzione dei cineasti, che riesce a calibrare sapientemente le diverse componenti del suo stile. La pellicola vince l'Oscar come miglior film straniero nel 1974 e conquista un certo pubblico popolare che non aveva particolarmente apprezzato l'intellettualismo della *Dolce vita* e di *8½*. Fellini non conoscerà mai più un simile successo.

Amarcord (1973).

Di fronte all'impero della "neotelevisione"

Da *Il Casanova di Federico Fellini* a *La voce della luna*

Federico Fellini in *Intervista* (1987).

Da Fellini al felliniano

Nella sua monumentale biografia Tullio Kezich racconta che, deluso dalla fredda accoglienza riservata alla *Città delle donne* (1980), Fellini decise di fare il giro dei cinema di Roma in incognito per vedere le reazioni degli spettatori. Si rese allora conto che "il pubblico si era trasferito su un altro pianeta, non c'era più".[31] Questa desolata constatazione è la chiave per capire l'aspetto testamentario e oppositivo dei film dell'ultimo periodo.

Dopo il successo di *Amarcord* il pubblico smette di interessarsi all'opera di Fellini, ma l'aggettivo "felliniano" come sinonimo di un'estetica barocca ed eccessiva diventa assai popolare. I media riducono l'autore alla caricatura di se stesso, mentre le sue opere sono oggetto di incomprensione e polemica, se non addirittura di indifferenza. Tra *Il Casanova di Federico Fellini* (1976) e *La voce della luna* (1990) il cinema italiano attraversa a sua volta una profonda crisi creativa, dovuta principalmente all'emergere della "neotelevisione".[32] La comparsa di canali privati – con l'emergere dell'impero economico e politico di Silvio Berlusconi – introduce una certa banalizzazione dell'immagine. Il fenomeno si accompagna a una crisi dei modelli nel cinema italiano: alcuni registi lavorano all'estero (Bertolucci e Antonioni), i grandi maestri sono morti (Rossellini, Pasolini e Visconti) e il pubblico diserta le sale cinematografiche che non hanno saputo rinnovarsi. Dagli studi di Cinecittà Fellini continua a creare immagini oniriche di fortissimo impatto visivo e a resistere a una società dello spettacolo che investe nella televisione, rischiando di diventare una vera e propria minaccia per il rigore artistico e intellettuale.

L'addio al maschio

All'inizio del *Casanova di Federico Fellini* le acque del Canal Grande divengono lo scenario onirico di una Venezia immaginaria da cui sorge la grandiosa figura di Venere. La scena rimanda a due questioni fondamentali. Da un lato Fellini ricorre al carnevalesco per creare una colossale immagine simbolica della femminilità, mostrandoci come l'esplorazione del mito dell'eterno seduttore possa portare a una costruzione visionaria della donna, che sarà nuovamente sviluppata nei labirinti onirici della *Città delle donne*. Dall'altro, la geografia immaginaria di Venezia rimanda all'idea delle città invisibili sviluppata da Italo Calvino:[33] Fellini ridefinisce la distanza fra le architetture veneziane, ricostruite o dipinte, e ricrea il mare della laguna con teli di plastica. A partire da questo momento il suo universo diviene

spettrale, antitetico al mondo empirico. Qualsiasi elemento storiografico viene bandito, e il regista è un demiurgo la cui ipertrofia visiva costituisce il fondamento dell'universo partorito dall'immaginazione.

Il punto di partenza del *Casanova* non è la *Storia della mia vita*, le memorie in cui il noto aristocratico veneziano racconta il suo peregrinare da una corte europea all'altra alla fine del Settecento: per Fellini, Casanova è una marionetta funerea, mai realmente uscita dal ventre materno, che non fa che fantasticare mentre attraversa un mondo privo di emozioni. La sua sessualità è meccanica, copula come un automa, simile in questo all'uccello metallico che lo accompagna sempre nelle sue imprese erotiche. Impersonato dall'attore Donald Sutherland, Casanova ha il portamento di un ippocampo e ridicolizza la figura del seduttore. L'Europa che percorre è un continente astratto, la ricerca del piacere diventa un'assenza di vita, in cui lo sperma maschile è freddo come quello di uno zombie.

Accusato di massoneria, Casanova è rinchiuso nelle prigioni veneziane dei Piombi, da cui riesce a evadere. Inizia così la sua serie di peripezie attraverso spazi di un'irrealtà spettrale: in principio il gabinetto della marchesa d'Urfé, che spera di impossessarsi del segreto dell'immortalità, poi il teatro di un gobbo omosessuale di nome Du Bois, in cui viene rappresentato il mito della mantide religiosa, infine a Londra, dove insegue una gigantessa emersa dalle acque del Tamigi, il ventre di una balena. Come in *Fellini Satyricon*, gli esseri sembrano muoversi tra fantasmi. Casanova è "una macchina programmata per il piacere panottico degli altri, che ne lavora il corpo allo scopo di soddisfare i fantasmi dell'onnipotenza altrui, uomo o donna che sia".[34] Questo atleta del sesso vive perennemente in bilico tra la vita e la morte, e raggiunge la pienezza solo alla fine, allorché si trasforma in manichino danzante con l'unica donna che possa amare, una bambola semovente.

Le riprese del *Casanova* sono particolarmente difficili, le più critiche di tutta la carriera di Fellini: iniziate nel 1975, vengono interrotte per qualche mese e ripartono nel marzo del 1976, dopo l'accordo con il produttore Alberto Grimaldi. Attesissimo dai media, il film è un fiasco, anche se vale l'Oscar a Danilo Donati per i costumi e le scenografie.

Donald Sutherland in *Il Casanova di Federico Fellini* (1976).

La rappresentazione visionaria della morte

Il Casanova di Federico Fellini

Fellini è sempre stato attratto dal mistero della morte e dalla sua impossibile messinscena. Per il finale di *8½* aveva pensato di filmare l'aldilà come viaggio in treno, ma finì per sostituire questa scena con la famosa sfilata che inneggia alla vita. *Il viaggio di G. Mastorna* prevedeva un atterraggio nel nulla della morte, ma il film non venne mai girato. E anche se in *Toby Dammit* il regista mostra il rituale che il morire presuppone, è solo nella sequenza finale del *Casanova* che arriva a rappresentare in modo visionario l'aldilà.
Con il viso invecchiato e illuminato da una luce crepuscolare, Casanova si domanda: "Tornerò mai più a Venezia?". Segue una lunga sequenza in cui un giovane Casanova in primo piano avanza in una Venezia glaciale, sepolta sotto un ghiaccio di plastica, in cui appare sotterrato il grande busto di Venere, simbolo della femminilità che coincide con la luna piena. Alcune donne scendono una scalinata e svaniscono, per poi riapparire stagliandosi contro un Rialto palesemente finto. Quindi arriva una carrozza dorata in cui siedono il papa e una donna che inveiscono contro Casanova. Il seduttore ritrova Rosalba, l'automa, le si avvicina e incomincia a danzare con lei sulle note della musica di Nino Rota, che evoca il suono di un carillon, finché il primo piano dei suoi occhi non ne ricorda l'indiscutibile vecchiaia. Nell'aldilà Casanova continua a danzare con il manichino, sino a diventare una figura inanimata. Fellini ci conduce così in un mondo spettrale, in cui i desideri si congelano, i personaggi divengono automi e il tempo della giovinezza svanisce nell'eternità.

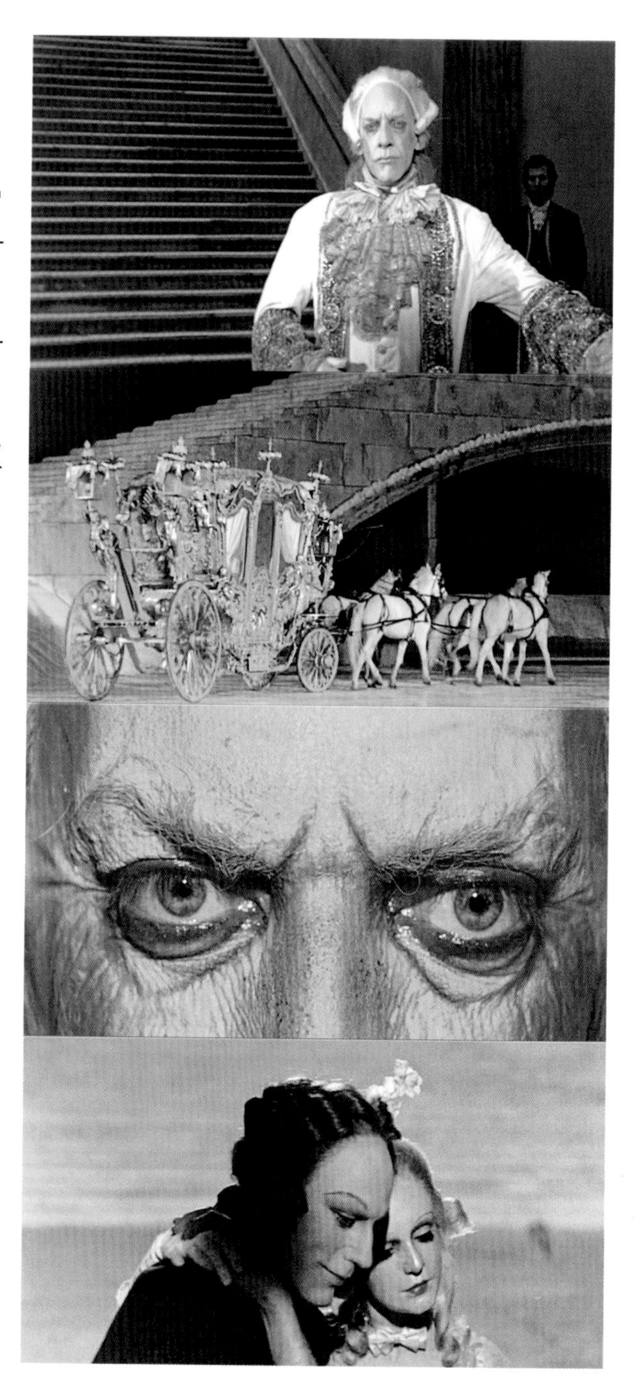

Donald Sutherland in *Il Casanova di Federico Fellini* (1976).

Giacomo Casanova trova il suo prolungamento nel personaggio di Sante Katzone (Ettore Manni) nella *Città delle donne*. Ispirato allo scrittore Georges Simenon,[35] Katzone è uno di quei supermaschi in via d'estinzione e conserva gli attimi di piacere della sua vita da seduttore in un suo personale mausoleo. In questo universo compare Snaporaz (Marcello Mastroianni), personaggio affine al regista egoista e perplesso di *8½*, che questa volta si trova intrappolato in un sogno nel quale i desideri sessuali assumono la forma di molteplici immagini della femminilità. In un certo senso *La città delle donne* è l'inverso del *Casanova*: Fellini mette in scena un incubo nel quale il suo doppio, Snaporaz, osserva come, dopo la morte del maschio, emerga un'altra realtà dove il futuro è donna. Ma come si configura questa realtà in cui il personaggio finisce suo malgrado? Snaporaz, che sta inseguendo l'oggetto del suo desiderio, si ritrova prigioniero in un grande convegno femminista in cui le donne agiscono in modo tribale. La donna materna, la donna ideale e la donna sensuale si trovano lì riunite a giudicare l'uomo, e osannano la nuova Biancaneve che, trasformatasi in domatrice, esibisce nel congresso-spettacolo i suoi sei mariti. A questo punto l'uomo non può che fuggire, perdendosi nei labirinti del suo io: Snaporaz si lascia andare lungo uno scivolo dove si incarnano tutti i suoi ricordi d'infanzia e alla fine del quale deve affrontare la donna ideale. La scena è interamente costruita sull'iperbole visiva e Fellini dà qui forma alla sua passione creatrice per antonomasia, la passione masturbatoria.

Come già avveniva nel *Casanova*, dopo essersi perso nella giungla femminile, il maschio finisce per farsi intrappolare da una figura inanimata, una grande bambola che vola su un'enorme mongolfiera. Nuove esplorazioni della femminilità, *Il Casanova* e *La città delle donne* sono due opere realmente allucinate, in cui il regista mette in scena le molteplici immagini

Federico Fellini sul set di *La città delle donne* (1980).

Pagine successive: *La città delle donne* (1980).

Nino Rota

Autore di centinaia di colonne sonore, Nino Rota (1919-1979) è uno dei grandi maestri della musica per i film. Pur avendo composto anche per Luchino Visconti (*Rocco e i suoi fratelli*, 1960; *Il gattopardo*, 1963), Francis Ford Coppola (*Il padrino*, 1972) e King Vidor (*Guerra e pace*, 1956), il suo nome è indissolubilmente legato a quello di Fellini. Il binomio Rota-Fellini ricorre in diciassette film, dallo *Sceicco bianco* a *Prova d'orchestra*. Rota riscrive per Fellini melodie popolari degli anni '20 (*Amarcord*), fanfare da circo (*I clowns, 8½*), melodie sentimentali (*La strada*) e partiture più sperimentali ispirate all'opera barocca (*Il Casanova di Federico Fellini*). La musica di Rota carica di ulteriore intensità lo sguardo onirico e malinconico del regista. Le sue opere musicali oscillano continuamente tra sonorità che trasformano il potere evocativo delle immagini e sonorità perfettamente integrate al tessuto narrativo, che amplificano l'atmosfera dell'universo felliniano. La musica è anche all'origine di alcune figure centrali della regia di Federico Fellini, la più emblematica delle quali è la sfilata, che rimanda al circo. Alla fine di *8½* i personaggi sfilano, e lo stesso accade quando Wanda, nello *Sceicco bianco*, arriva nel teatro di posa in cui vengono realizzati i fotoromanzi, dove gli attori in costume si presentano sfilando. Nell'opera di Fellini il mondo appare come una grande rappresentazione.

Federico Fellini, Shirley Verrett e Nino Rota negli anni '70.

Federico Fellini sul set di *Prova d'orchestra* (1978).

Pagine successive: *E la nave va* (1983).

suscitate dalla donna nel suo inconscio, spingendo alle estreme conseguenze la sua capacità visionaria.

I resti di un naufragio

Tra *Il Casanova* e *La città delle donne* Fellini gira per la RAI *Prova d'orchestra* (1978), film-inchiesta sulle prove di un gruppo di musicisti in una cappella romana, in cui il regista interroga ogni singolo interprete sulle proprietà del suo strumento, stabilendo un legame tra quest'ultimo e il fisico di chi lo suona. A mano a mano che procede, il film appare come una favola politica sulla disciplina e il potere della creazione artistica. I musicisti si rivoltano contro la tirannia del direttore d'orchestra, ma il Super-Io, incarnato da una palla gigantesca, riesce a ristabilire l'ordine, garantendo l'esecuzione finale. *Prova d'orchestra* ha inizio dalla registrazione di un processo creativo – l'opera musicale – e approda a una riflessione sulla ricerca d'armonia. Il film è l'ultima collaborazione di Fellini con Nino Rota, che muore poco dopo la fine delle riprese.

Dopo *La città delle donne* Fellini incomincia a seppellire il suo mondo. L'opera lirica gli serve allora come metafora, come se in questa forma d'arte depositasse le chiavi di quello sguardo iperbolico che il suo cinema è andato sempre più incarnando. In quanto arte tesa alla pura immaginazione, l'opera fonda la propria spettacolarità sull'artificio e la propria armonia su elementi diversi quali la musica, la scenografia e il dramma. Come ha messo in luce il saggista francese Youssef Ishaghpour, quando nel 1914 cinema e opera lirica si incontrano, la seconda ne esce indebolita e il primo rafforzato, essendosi Hollywood impossessata della dimensione spettacolare caratteristica dell'opera.[36] A questo vampirismo cinematografico si allude nella prima scena della pellicola *E la nave va* (1983), nel momento in cui si passa dal film muto in bianco e nero al film a colori, cantato proprio come i grandi film-opera usciti in quegli anni con il marchio della Gaumont di Daniel Toscan du Plantier, produttore anche del film di Fellini.

Barbara Jefford (al centro) in *E la nave va* (1983).

Ambientato nel 1914, il film è la storia di un funerale e di un naufragio. Il defunto è la grande diva Edmea Tetua, le cui ceneri devono essere depositate al largo di un'isola dell'Egeo, motivo per cui un gruppo di personaggi decadenti si imbarca su un transatlantico che evoca il mito medievale della nave dei folli.[37] Nella loro eccentricità, i passeggeri hanno qualcosa di profondamente agonizzante, sono il simbolo della fine del divismo, del non-senso dei rituali del lusso e dell'esuberanza aristocratica. Le loro voci liriche e potenti sono costrette ad adattarsi al baccano del tempo, e i cantanti intonano così le loro romanze di fronte a quella prefigurazione dell'inferno dantesco che sono le rumorosissime caldaie della nave. Sembra impossibile scorgere quel che di sublime c'è nel mito, come ai tempi della grande opera, perché i miti si sono dissolti in una cultura di massa perfettamente rappresentata dai media, qui incarnati da un narratore che tenta di mettere ordine nel caos, un giornalista, nuovo alter ego di Fellini, che agisce dominato dall'ossessione di documentare l'istante vissuto interloquendo con lo spettatore. Tutto è mero artificio: la nave si dichiara come scenario e il mare è di plastica. Durante il viaggio i passeggeri vengono a contatto con un gruppo di rifugiati serbi che annuncia loro lo scoppio della Prima guerra mondiale. È la fine di un'epoca.

La nave affonda e a sopravvivere saranno solo il narratore e un rinoceronte, sorta di figura emersa dall'inconscio della storia. Il naufragio simbolico di questi esseri appartenenti al mondo dell'opera ne evoca uno ben più profondo: a naufragare sono le caricature create dal cineasta, visi parodistici e patetici che, attraverso l'esagerazione, esprimono una certa verità del mondo. *E la nave va* è la prima parte di un naufragio che si prolungherà in *Ginger e Fred* (1985) e *Intervista* (1987), due film malinconici sulla distruzione del cinema per mano della televisione.

Marcello Mastroianni in *Ginger e Fred* (1985).

Pagine successive: Giulietta Masina e Marcello Mastroianni in *Ginger e Fred* (1985).

Le rovine dello spettacolo

Amelia (Giulietta Masina) e Pippo (Marcello Mastroianni), La coppia protagonista di *Ginger e Fred*, sono due fantasmi. Il doppio di Fellini — Marcello, Guido Anselmi o Snaporaz — e la sua consorte, incarnazione dell'alterità femminile, ritornano nel mondo per ricostruire un legame affettivo nel presente confuso e caotico. Marcello e Giulietta, Fellini e Masina, non si muovono più separatamente come nei film del passato, ma insieme, come colonne portanti dell'universo felliniano. Ma il tempo è passato, e si vede: tutto è eroso. I due fantasmi desiderano recuperare nel presente un po' di ciò che hanno perduto, ma di fronte a loro il mondo reale non c'è più, definitivamente eclissato dalle sue rappresentazioni spettacolari. A popolare quel mondo che la coppia è costretta ad attraversare sono copie, doppi e altri palinsesti della realtà. I due personaggi stessi sono una delle tante pedine del gioco, non esseri reali, ma imitatori di Ginger Rogers e Fred Astaire. Durante il viaggio incontrano i sosia di Marcel Proust, Franz Kafka, Clark Gable e Woody Allen. Il loro obiettivo è ballare di nuovo, e ricreare l'universo scintillante del music-hall, morto da tempo. Attraverso il loro gesto il passato emerge come tempo impossibile, insabbiato in un presente mostruoso, di fronte al quale la conciliazione appare come una chimera.

Ginger e Fred ha, per altri versi, il sapore di una favola natalizia. Amelia e Pippo viaggiano fino agli studi televisivi per partecipare a un varietà di Capodanno, e la loro avventura è al tempo stesso una rimpatriata e la scoperta del nuovo circo tecnologico chiamato televisione, che sotto il suo tendone elettronico sfrutta le mostruosità dell'epoca ed eleva a idoli i rifiuti della società. In quest'impero televisivo sembra che tutto sia condannato al disprezzo: le riviste popolari dell'avanspettacolo e le illusioni del circo, con i suoi clown bianchi e i suoi augusti, hanno

ceduto il posto al mondo del simulacro, responsabile di quello che Jean Baudrillard ha definito il "crimine perfetto", l'assassinio del reale. Il mondo esterno – l'immondizia di Roma e, in primo piano, l'immagine simbolica della stazione Termini sovrastata da un enorme zampone – è diventato uno spazio antropofagico costruito sui resti organici dell'opulenza.

Fellini traccia un ritratto amaro della potenza di questa "neotelevisione", il grande mostro audiovisivo che ha fagocitato la creazione cinematografica per imporre l'impero del falso. Ma nonostante il tono decisamente apocalittico, in *Ginger e Fred* sembra risorgere quella tenerezza del regista nei confronti dei personaggi che si era affievolita dopo *Amarcord*. Amelia e Pippo rivivono qualcosa di intenso che è andato irrimediabilmente perduto. Fellini sa bene che nel nuovo universo delle ombre l'unica salvezza possibile è la malinconia per ciò che si è perduto. In questo senso, dopo il viaggio nel cuore della società dello spettacolo per contemplare il luogo in cui si creano i meccanismi del mondo-rappresentazione, è necessario ritornare a Cinecittà, dove è possibile nutrire le ultime illusioni. Il film segna anche il ritorno di Fellini alla collaborazione con i vecchi amici, lo sceneggiatore Tullio Pinelli e l'attore Franco Fabrizi, protagonista dei *Vitelloni* e del *Bidone*.

Durante una scena di *Intervista* (1987), film costruito come *Roma* su un continuo andirivieni tra presente e passato, Fellini ci ricorda come, negli anni '40, il modo migliore per arrivare a Cinecittà fosse seguire gli elefanti destinati alle comparsate nei film esotici. E così, dal tram che lì conduce, il giovane Fellini segue il cammino dell'illusione e sbarca a Cinecittà per intervistare una diva. Come il circo nei *Clowns*, i teatri di posa romani sono per lui lo spazio della rivelazione dell'illusione, il trenino più bello del mondo, come lo erano per il giovane Orson Welles. All'epoca Cinecittà è il simbolo del suo impero, del feudo di cui egli è signore, ma gli studi cinematografici sono anche spazi minacciati, in cui l'arte del cinema è costretta a convivere con la pubblicità. Il grande regista vi riceve alcuni giornalisti della televisione giapponese, ai quali ricorda i fasti del passato ed espone la sua idea di cinema come processo di ricreazione del mondo.

A Cinecittà Fellini sta girando, come Guido Anselmi in *8½*, un'opera che non prende mai forma, l'adattamento cinematografico dell'*America* di Kafka:[38] Gli operai dipingono gli scenari, mentre l'aiuto regista cerca visi caricaturali in sintonia con l'universo felliniano. *Intervista* è un film-sintesi dell'autoreferenziale, in cui il gioco di specchi tra fiction e realtà, tra opera ed elaborazione, funziona alla perfezione. Un film, inoltre, che tradisce il desiderio di riscrivere *Block-notes di un regista* per farne un esercizio di stile.

Verso la fine, quando i membri della troupe si riparano dalla pioggia sotto i tendoni, compare la minaccia, un gruppo di indiani che li attacca armati di antenne televisive. Un modo per sottolineare che il mondo su cui il regista ha regnato sta per essere sostituito dall'impero assai più potente della televisione.

Nel momento in cui Fellini risuscita il proprio universo in *Intervista* ricompare Mastroianni, e per la prima volta il creatore e la sua creatura sono posti sullo stesso piano. Alla rievocazione della gloriosa Cinecittà degli anni '40 fa eco quella delle sue antiche glorie: Marcello guarda il passato e vi ritrova Anita Ekberg, impietosamente invecchiata e appesantita dal tempo. Il bel Marcello e l'esuberante Anitona osservano sullo schermo la famosa scena della fontana di

Gioco di specchi

Intervista

All'inizio delle *Parole e le cose*, Michel Foucault ricorda che il gesto veramente moderno della pittura di Velázquez è l'avere sostituito alla rappresentazione l'atto stesso del rappresentare. Nel cinema di Fellini il regista crea una serie di doppi per evocare i propri spazi di creazione. In alcuni casi – come in *Roma*, *I clowns*, *Intervista* e, in un certo senso, *Prova d'orchestra* – Fellini stesso diventa personaggio, e il film assume un carattere documentario, filmando la realtà di un set in cui tutto è controllato dallo sguardo del demiurgo.

Intervista ha una lunga sequenza in cui il regista spinge alle estreme conseguenze il suo gioco pirandelliano sugli spazi di creazione, fino a farne una riflessione, non priva di intenti testamentari, sul tempo perduto. La sequenza è ambientata sul set dell'opera del cinasta che non prenderà mai forma, l'adattamento di *America* di Kafka, a cui il regista sta lavorando con la sua troupe, e dove, a un certo punto, appare a una finestra come per magia Marcello Mastroianni tra vestito da Mandrake. Qui il vero "trucco" sta nel gesto barocco del creatore che ci mostra il suo doppio invitandoci a condividerne il progetto creativo.

E il personaggio non è né Guido Anselmi, né Snaporaz, né Pippo, ma Marcello Mastroianni stesso. Sul set in cui si sta girando uno spot pubblicitario, Fellini gli presenta Sergio Rubini, che in *Intervista* rappresenta il doppio del regista da giovane. Dopo di che i tre prendono posto sui sedili posteriori di un'auto. Il creatore appare così circondato dalle sue creature. L'auto esce da Cinecittà, attraversa un paesaggio di periferia, la *no man's land* tanto amata dal regista, assediata dai nuovi paparazzi della tivù giapponese, e arriva a Villa Pandora. Durante il tragitto i doppi di Fellini ne nascondono la figura, e solo a tratti il regista assume la propria funzione di demiurgo pur restando nell'ombra.

A Villa Pandora vive Anita Ekberg, che compare avvolta in un asciugamano, come se non potesse liberarsi dall'immagine di donna acquatica, circondata dai suoi cani. Il giovane Rubini vede in lei una diva, mentre Marcello la osserva con dolore: la sua figura appesantita conferma crudelmente che il tempo è passato. La padrona di casa offre vino e castagne agli ospiti e Mandrake-Marcello fa apparire uno schermo per magia. Si sente allora la musica della *Dolce vita* di Nino Rota e il mago invoca il passato: lo schermo diventa così lo specchio di quel che si è perduto, e il giovane giornalista Marcello danza con la sensuale star svedese nel cabaret della *Dolce vita*. Anita si lascia prendere dalla nostalgia, subito interrotta da un Marcello sarcastico, che chiede un bicchierino di grappa per onorare il bel tempo che fu. Anita fa il bagno nella fontana di Trevi mentre Marcello le domanda se non sia per caso una dea, una madre o Eva in persona. Il regista, i suoi doppi, la donna ideale e le immagini del passato sono tutte proiezioni spettacolari, come a dire che la condizione del cinema è quella di un'arte spettrale in grado di congelare il tempo perduto.

Federico Fellini, Sergio Rubini, Marcello Mastroianni e Anita Ekberg in *Intervista* (1987).

Pagine successive: *Intervista* (1987).

"Theuth, Fellini e il Faraone", di Umberto Eco

È che Fellini è uomo di cinema: e riguardo al cinema, ancora giovane quasi quanto la scrittura ai tempi del Faraone, ancora si dice, talora, che – pur essendo indubitabilmente Arte – è tra le arti la più legata a vincoli della realtà esterna perché, bene lo si sa, per quanto l'autore inventi, deve pur sempre riprendere dalla realtà quello che la realtà offre, persone, paesaggi, colori e suoni. E se la realtà non è lì, il cinema, prima di raccontarla, deve pur sempre ricrearla ovvero "metterla in scena". E se anche i paesaggi sono di cartapesta e i personaggi di alluminio (come accade ai robot di *Guerre stellari*), si tratta sempre di produrre qualcosa di pre-filmico, appartenente all'ordine del materiale, del fisico, del tridimensionale, prima di registrarlo (e sia pure, di deformarlo) nelle riprese e nel montaggio.
Non sto suggerendo che questi siano dubbi da laico ingenuo, perché del cinema come "semiologia della realtà" hanno parlato, e con gran convinzione, anche chierici tra i più illustri, e si pensi alla fede con cui Pasolini ha sostenuto sino alla fine questa tesi...
Ecco, direi che Fellini è qui, con tutti i suoi film, dal primo all'ultimo, coi suoi migliori e con quelli che meno ci son piaciuti, quando si inventa e quando si ripete, a dirci che il film (ambiguamente ancorato alla realtà esterna) è un'arte della memoria, con la quale si può raccontare solo e sempre i propri ricordi, le proprie fantasie, le proprie ossessioni. Possiamo dire questo di molti altri registi, certo, ma Fellini è qui per dirci quasi esclusivamente questo. È come se egli fosse vissuto per redimere il cinema da ciò che gli è esterno, dal pre-filmico, o a dimostrarci che il pre-filmico, con tutto ciò che prende a prestito dalla realtà fisica, vive e viene inventato per praticare un'arte che è ricostruzione di mondi interiori, per privati che siano.
Per cui è naturale, *amarcord* non può essere il titolo di *uno* dei suoi film, bensì il titolo del suo Opus Magnum.
Trismegisto, dunque: tre volte grandissimo come Ermete-Theut, con la sua nave Fellini va sempre al di là di quello che il mondo esterno vorrebbe imporre al suo mondo interiore, e alla voracità della sua nostalgia."

Umberto Eco, "Theut, Fellini e il Faraone", in Ester de Miro e Mario Guaraldi, *Fellini della memoria*, Guaraldi-La Casa Usher, Rimini, 1983, pp. 9-10.

Sim (a destra) in *La voce della luna* (1990).

Pagina a fronte: Federico Fellini con Roberto Benigni sul set di *La voce della luna* (1990).

Trevi della *Dolce vita*. Nessuno può ritornare dal regno dei morti, il cinema e la giovinezza appartengono a un'altra epoca. Un'epoca precedente il naufragio.

Il silenzio

Sepolto definitivamente l'universo carnevalesco e caricaturale, rivelato il luogo in cui l'illusione si fa simulacro, Fellini sceglie la nostalgia come via di fuga di fronte all'agonia del cinema e decide di ritornare a una figura originaria, quella del lunatico. Vuole vedere se è ancora possibile creare un po' di poesia nel baccano contemporaneo. *La voce della luna* (1990), ispirato al *Poema dei lunatici* di Ermanno Cavazzoni, è un tentativo disperato di trovare un po' di armonia nella confusione del presente. Il personaggio principale, Ivo Salvini (Roberto Benigni), convinto di sentire delle voci che gli parlano dal fondo dei pozzi, si ritrova a percorrere una cittadina di provincia in cui è stata cancellata qualsiasi traccia del passato che possa ridestare la memoria. Nel suo girovagare incontra dei matterelli che condividono con lui l'indifferenza nei confronti della realtà e che come lui sospettano che il visibile non sia altro che una grande farsa. Ivo cerca quel che Fellini, nella sua visionarietà, ha cercato per tutta la sua carriera, una realtà nascosta dietro a quel che si crede di vedere. Ma nonostante i soliloqui poetici, il film è destinato al fallimento. Ivo è condannato a vedere la donna ideale attraverso un cerchio e a osservare come l'immaturità sociale del suo paese permetta che ci sia sempre un pazzo disposto a sparare alla luna.

Con *La voce della luna* qualcosa sembra essersi spezzato. La città è costituita di angoli di altre città possibili e i tentativi per ritrovare l'infanzia a partire dalla figura di una nonna sensuale non hanno alcun potere di evocazione. I rituali di provincia, come l'elezione di miss Farina, sono patetici, e gli eventi, come la cattura della luna in un garage, sono trasmessi in diretta da una televisione panottica che filtra l'intera realtà. Al centro di quest'impero caotico, contraddistinto dal rumore assordante delle discoteche che da questo momento in poi coprono i violini, Fellini decide di mettere un punto fermo alla sua carriera, invocando il silenzio come unica possibilità di speranza in una maggiore comprensione tra gli uomini. Questo è il suo testamento.

Presentato fuori concorso a Cannes, in assenza del regista, il film non viene particolarmente apprezzato dal pubblico, mentre una parte della critica accusa Fellini di ripetere stancamente gli stessi motivi senza l'ispirazione di un tempo. Il 29 marzo 1993, a Hollywood, Fellini riceve l'Oscar alla carriera e il 28 giugno, durante un breve soggiorno a Rimini, è colpito da ictus. Il 1° ottobre viene ricoverato a Roma con la parte sinistra del corpo paralizzata, dopo che a Giulietta Masina è stato diagnosticato un tumore. Muore il 31 ottobre e la camera ardente viene allestita nello Studio 5 di Cinecittà, dove vanno a rendergli omaggio sessantamila persone. Il 23 marzo dell'anno seguente si spegne anche Giulietta Masina.

Roberto Benigni
in *La voce della luna* (1990).

Cronologia

1920

Nasce il 20 gennaio, primogenito di Ida Barbiani e Urbano Fellini, a Rimini. L'anno successivo nascerà il fratello Riccardo e nel 1929 la sorella Maddalena.

1925

Dopo l'asilo, Federico frequenta le prime due classi delle elementari dalle Suore di San Vincenzo e prosegue gli studi alla scuola elementare Teatini.

1930

Entra al liceo ginnasio Giulio Cesare, situato accanto al Grand Hotel di Rimini. Uno dei suoi compagni è Luigi Benzi, meglio noto come Titta, che diventa il suo migliore amico. A lui si ispira fortemente il giovane protagonista di *Amarcord*.

1936

Durante un campo della gioventù organizzato dal partito fascista a Verrucchio disegna una serie di caricature dei partecipanti.

1937

Carlo Massa, proprietario del cinema Fulgor, gli commissiona una serie di caricature di attori americani per richiamare gli spettatori.

1938

Pubblica vignette umoristiche sulla *Domenica del Corriere* e collabora con il settimanale politico e satirico fiorentino *Nerbini*.

1939

Trasferitosi a Roma, si iscrive alla facoltà di Diritto, che ben presto abbandona. Lavora per il bisettimanale umoristico *Marc'Aurelio*, con il quale collaborerà fino al 1942. Grazie al comico Ruggero Maccari, conosce Aldo Fabrizi. Comincia a lavorare come autore di gag per il cinema e il varietà.

1940

L'Italia entra in guerra. Fellini lavora alla radio per trasmissioni umoristiche. Crea delle gag per il film *Il pirata sono io!* di Mario Mattioli.

1942

Incontra l'attrice Giulietta Masina, che sposa il 30 ottobre del 1943. Negli uffici dell'Alleanza Cinematografica Italiana, la società per cui lavora – diretta da Vittorio Mussolini, figlio del Duce – conosce il regista Roberto Rossellini.

1943

Partecipa alla stesura della sceneggiatura di *Campo dei fiori* di Mario Bonnard e di *Diamante misterioso* di Mario Mattioli. Le truppe alleate sbarcano in Sicilia.

1944

Dopo la liberazione di Roma, apre The Funny Face Shop, un negozio in cui disegna caricature. Roberto Rossellini gli propone di lavorare a un progetto sull'assassinio da parte delle SS del sacerdote don Pietro Morosini. Partecipa anche alla sceneggiatura di *Roma città aperta* assieme a Sergio Amidei.

1945

Il 22 marzo nasce suo figlio, che, affetto da insufficienza respiratoria, vivrà solo due settimane.

1946

Partecipa alla sceneggiatura e alle riprese di *Paisà* di Rossellini, per il quale filma alcune scene dell'episodio fiorentino.

1947

Lavora come sceneggiatore di alcune pietre miliari della produzione cinematografica italiana di quegli anni, come *Il delitto di Giovanni Episcopo* e *Senza pietà* di Alberto Lattuada.

1948

Recita insieme ad Anna Magnani nel *Miracolo*, uno dei due episodi dell'*Amore* di Rossellini. Partecipa alle sceneggiature di *In nome della legge* di Pietro Germi e del *Mulino del Po* di Alberto Lattuada.

1949

Partecipa alla sceneggiatura e alle riprese di *Francesco giullare di Dio* di Roberto Rossellini.

1950

Partecipa alla sceneggiatura del *Cammino della speranza* di Pietro Germi.

1951

Firma la regia di *Luci del varietà* con Alberto Lattuada. Partecipa alla sceneggiatura di *Europa '51* di Roberto Rossellini, *La città si difende* e *Il brigante di Tacca del Lupo* di Pietro Germi. Dirige il suo primo film, *Lo sceicco bianco*, che inaugura anche la collaborazione con Nino Rota.

1953

Vince il Leone d'argento alla Mostra del Cinema di Venezia per *I vitelloni*. Gira *Agenzia matrimoniale*, uno dei sei episodi del film *Amore in città*.

1954

Gira *La strada*, il suo primo grande successo di pubblico, che vince il Leone d'argento alla Mostra del Cinema di Venezia, aprendogli una brillante carriera internazionale.

1955

Gira *Il bidone*.

1956

Vince con *La strada* il suo primo Oscar della categoria "miglior film straniero". Gira *Le notti di Cabiria*.

1957

Vince il secondo Oscar per *Le notti di Cabiria*. Muore suo padre Urbano. Da questa esperienza di lutto nasce la sceneggiatura di *Viaggio con Anita*, scritta insieme a Tullio Pinelli, che rimane allo stadio di progetto finché non verrà ripresa da Mario Monicelli nel 1979.

Il teatro Fulgor di Rimini negli anni '40.

Roberto Rossellini, Federico Fellini e Giulietta Masina durante le riprese di *Paisà* (1946) di Roberto Rossellini.

Federico Fellini con il produttore Dino de Laurentiis sul set di *Le notti di Cabiria* (1957).

Riprese di *8½* (1963).

1959
Gira *La dolce vita*. Vince la Palma d'oro al Festival di Cannes per *La dolce vita*. Il film riceve diverse nomination agli Oscar, ma vince solo quello per i costumi, firmati da Piero Gherardi.

1961
Gira *Le tentazioni del dottor Antonio*, episodio di *Boccaccio '70*. Conosce lo psicanalista Ernst Bernhard, che lo inizia alle teorie di Jung.

1962
Gira *8½*.

1964
Fellini vince il suo terzo Oscar per *8½*, Piero Gherardi il suo secondo per i costumi.

1965
Gira *Giulietta degli spiriti*. Assume LSD sotto controllo medico. Scrive la sceneggiatura del *Viaggio di G. Mastorna* con Dino Buzzati.

1967
Colpito da un infarto che lo porta in punto di morte, trascorre alcuni mesi in ospedale. Rinuncia a girare *Il viaggio di G. Mastorna*. Scrive il testo autobiografico *La mia Rimini*. Gira *Toby Dammit*, episodio di *Tre passi nel delirio*.

1968
Gira *Block-notes di un regista* per il canale televisivo americano NBC.

1969
Gira *Fellini Satyricon*, liberamente tratto dal *Satyricon* di Petronio.

Federico Fellini sul set di *Fellini Satyricon* (1969).

1970
Interpreta se stesso nel film di Paul Mazursky *Il mondo di Alex*. Dirige *I clowns* per la RAI.

1971
Fa ricostruire diversi luoghi della capitale negli studi di Cinecittà per le riprese di *Roma*.

1972
Gira *Amarcord*.

1974
Vince il quarto Oscar al miglior film straniero per *Amarcord*, grande successo internazionale. Recita se stesso in *C'eravamo tanto amati* di Ettore Scola.

1975
Gira *Il Casanova di Federico Fellini* negli studi di Cinecittà, che richiede un set laborioso e costosissimo.

1977
Esce *Il Casanova*, che non riceve l'accoglienza che Fellini sperava. Lavora alla *Città delle donne*.

1978
Gira *Prova d'orchestra* per la RAI. L'anteprima ha luogo al Quirinale, alla presenza delle maggiori personalità della vita politica italiana. Il film suscita un burrascoso dibattito politico.

1979
Muore Nino Rota, il collaboratore di sempre. Gira *La città delle donne*, che viene accolto con freddezza da una parte della critica.

Federico Fellini sul set di *Prova d'orchestra* (1978).

1980
Pubblica con Einaudi *Fare un film*.

1982
Gira *E la nave va*, in coproduzione con la Francia, a seguito della crisi del cinema italiano e delle difficoltà incontrate nel portare a termine il progetto, che questa volta riscuote il plauso della critica.

1983
Interpreta se stesso nel *Tassinaro* di Alberto Sordi.

1984
Realizza uno spot pubblicitario per Campari. Muore sua madre Ida. Conosce in Messico lo scrittore Carlos Castaneda.

1985
Gira *Ginger e Fred*. Lotta contro l'impero televisivo di Silvio Berlusconi. È colpito da un altro infarto. Riceve il Leone d'oro alla carriera a Venezia.

1986
Gira *Intervista*.

1987
Pubblica sul *Corriere della sera* il racconto *Viaggio a Tulum*, nato da una sua esperienza con Carlos Castaneda. Gira una pubblicità per Barilla. *Intervista* riceve una buona accoglienza al Festival di Cannes.

Federico Fellini sul set di *Amarcord* (1973).

Federico Fellini sul set di *Intervista* (1987).

1988
Pubblica con Mondadori *Un regista a Cinecittà*.

1989
Gira il suo ultimo film, *La voce della luna*.

1990
Riceve a Tokyo il Praemium Imperiale, il Nobel dell'Estremo Oriente. *La voce della luna* viene presentato a Cannes, dove non riscuote il plauso della critica.

1991
Si batte contro una legge che autorizza i canali televisivi a mandare in onda spot pubblicitari durante i film. Supervisiona i disegni di Milo Manara per *Viaggio a Tulum*.

1992
Collabora nuovamente con Milo Manara a una versione a fumetti del *Viaggio di G. Mastorna*. Gira uno spot pubblicitario per la Banca di Roma.

1993
Riceve l'Oscar alla carriera. In agosto, a Rimini, è colpito da un ictus, cui ne segue un secondo, a Roma, dove muore il 31 ottobre. La camera ardente viene allestita nello Studio 5 di Cinecittà.

1994
Il 23 marzo si spegne Giulietta Masina.

Federico Fellini e Roberto Benigni sul set di *La voce della luna* (1990).

Filmografia

ATTORE

Il miracolo **1948**
di Roberto Rossellini

Il mondo di Alex **1970**
Alex in Wonderland
di Paul Mazursky

C'eravamo tanto amati **1974**
di Ettore Scola

Il tassinaro **1983**
di Alberto Sordi

CORTOMETRAGGI

Agenzia matrimoniale **1953**
16 min. Con Antonio Cifariello, Lidia Venturini.
• Un giovane giornalista è impegnato in un'inchiesta sulle agenzie matrimoniali. Quarto episodio dell'*Amore in città*.

Le tentazioni del dottor Antonio **1962**
54 min. Con Peppino De Filippo, Anita Ekberg.
• Il dottor Antonio è turbato dal manifesto pubblicitario che gli hanno affisso davanti a casa, in cui una donna di grande sensualità pubblicizza il latte. Secondo episodio di *Boccaccio '70*.

Toby Dammit **1968**
37 min. Con Terence Stamp, Salvo Randone, Antonia Pietrosi.
• L'attore americano Toby Dammit arriva a Roma. Il suo viaggio finisce per trasformarsi in un tragitto spettrale verso la morte. Terzo episodio di *Tre passi nel delirio*.

FILM TV

Block-notes di un regista **1968**
60 min. Con Federico Fellini, Giulietta Masina, Marcello Mastroianni, Caterina Boratto, Marina Boratto.
• Di fronte agli scenari del *Viaggio di G. Mastorna* Fellini riflette sull'opera abbandonata e sul film in lavorazione, *Fellini Satyricon*.

I clowns **1970**
93 min. Con Federico Fellini, Liana Orfei, Franco Migliorini, Anita Ekberg, Tristan Rémy e Charlie Rivel.
• Fellini bambino rievoca la scoperta del circo e la magia dei clown di Rimini. Fellini adulto gira un documentario sulla morte del circo.

LUNGOMETRAGGI

Luci del varietà **1950**
B/N. **Co-regista** Alberto Lattuada. **Scenegg.** Federico Fellini, Alberto Lattuada, Tullio Pinelli, con la collaborazione di Ennio Flaiano, da un soggetto di Federico Fellini. **Fotogr.** Otello Martelli. **Scenogr.** Aldo Buzzi. **Montagg.** Mario Bonotti. **Musica** Felice Lattuada. **Produtt.** Bianca Lattuada, Federico Fellini. **Produz.** Capitolium Films. **100 min.** Con Carla Del Poggio (Liliana "Lilly" Antonelli), Peppino De Filippo (Checco Dalmonte), Giulietta Masina (Melina Amour).
• Liliana, un'avvenente ragazza di provincia, entra in una scalcinata compagnia d'avanspettacolo. Premiata dagli applausi del pubblico, suscita l'invidia del regista, Checco. Le viene infine offerto un contratto per lavorare a Roma, mentre la compagnia riprende la vita itinerante.

Lo sceicco bianco **1952**
B/N. **Scenegg.** Federico Fellini, Tullio Pinelli, da un soggetto di Michelangelo Antonioni. **Fotogr.** Arturo Gallea. **Scenogr.** Raffaello Tolfo. **Montagg.** Rolando Benedetti. **Musica** Nino Rota. **Produz.** Luigi Rovere. **85 min.** Con Alberto Sordi (Fernando Rivoli), Brunella Bovo (Wanda Giardino), Leopoldo Trieste (Ivan Cavalli), Giulietta Masina (Cabiria).
• Wanda e Ivan sono a Roma in viaggio di nozze. Affascinata dal mondo dello spettacolo, Wanda si perde inseguendo un personaggio dei fotoromanzi sul set. Il marito, disperato, la cerca per tutta la città.

I vitelloni **1953**
B/N. **Scenegg.** Federico Fellini, Ennio Flaiano, da un soggetto di Tullio Pinelli. **Fotogr.** Otello Martelli, Luciano Trasatti, Carlo Carlini. **Scenogr.** Mario Chiari. **Montagg.** Rolando Benedetti. **Musica** Nino Rota. **Produtt.** Luigi Giacosi. **Produz.** PEG-Film Cité Film. **103 min.** Con Franco Interlenghi (Moraldo), Alberto Sordi (Alberto), Franco Fabrizi (Fausto), Leopoldo Trieste (Leopoldo), Riccardo Fellini (Riccardo).
• In una cittadina della costa romagnola cinque amici trascorrono la vita al bar. Fausto, sposato, gioca a fare il playboy, Alberto è vittima dei suoi complessi e Leopoldo sogna di diventare un grande poeta.

La strada **1954**
B/N. **Scenegg.** Federico Fellini, Tullio Pinelli, con la collaborazione di Ennio Flaiano. **Fotogr.** Otello Martelli. **Scenogr.** Mario Ravasco. **Montagg.** Leo Catozzo. **Musica** Nino Rota. **Produz.** Dino De Laurentiis, Carlo Ponti. **94 min.** Con Giulietta Masina (Gelsomina), Anthony Quinn (Zampanò), Richard Basehart (il Matto).
• Il rozzo Zampanò compra come aiutante per le sue esibizioni la semplice e ignorante Gelsomina. Un giorno incontrano il Matto, un funambolo che non perde occasione per dileggiare Zampanò, ma viene da lui ucciso. La sua morte porta Gelsomina alla pazzia.

Il bidone **1955**
B/N. **Scenegg.** Federico Fellini, Tullio Pinelli, Ennio Flaiano, con la collaborazione di Brunello Rondi. **Fotogr.** Otello Martelli. **Scenogr.** Dario Cecchi. **Montagg.** Mario Serandrei, Giuseppe Vari. **Musica** Nino Rota. **Produz.** Titanus, SGC. **104 min.** Con Broderick Crawford (Augusto), Richard Basehart (Picasso), Franco Fabrizi (Roberto), Giulietta Masina (Iris).
• Augusto, Picasso e Roberto sono tre miserabili imbroglioni che si travestono da preti per derubare la povera gente.

Le notti di Cabiria **1957**

B/N. **Scenegg.** Federico Fellini. Adattamento dei dialoghi in dialetto romano di Pier Paolo Pasolini. **Fotogr.** Aldo Tonti, Otello Martelli. **Scenogr. e costumi** Piero Gherardi. **Montagg.** Leo Catozzo. **Musica** Nino Rota. **Produtt.** Dino De Laurentiis. **Produz.** Cinematografica, Roma e Les Films Marceau. **110 min.** Con Giulietta Masina (Cabiria), François Périer (Oscar D'Onofrio), Franca Marzi (Wanda), Dorian Gray (Jessy), Amedeo Nazzari (Alberto Lazzari).

• Cabiria è una prostituta che sogna il grande amore. Incontra sulla sua strada un attore che la respinge e Oscar, un giovane che sembra affascinato dal suo buon cuore, ma in realtà è interessato ai suoi risparmi.

La dolce vita **1960**

B/N. **Scenegg.** Federico Fellini, Tullio Pinelli, Ennio Flaiano. **Fotogr.** Otello Martelli. **Scenogr. e costumi** Piero Gherardi. **Montagg.** Leo Catozzo. **Musica** Nino Rota. **Produtt.** Giuseppe Amato. **Produz.** Riama Film, Roma, Gray Films, Pathé Consortium Cinéma. **178 min.** Con Marcello Mastroianni (Marcello Rubini), Anita Ekberg (Sylvia), Anouk Aimée (Maddalena), Magali Noël (Fanny), Lex Barker (Robert), Alain Cuny (Steiner), Annibale Ninchi (padre di Marcello), Yvonne Furneaux (Emma), Valeria Ciangottini (Paola).

• Marcello è un giornalista che frequenta il jet-set romano. Nelle sue notti nel bel mondo incontra una star di Hollywood, un intellettuale che finirà per uccidere i suoi figli e suo padre, prototipo del provinciale.

8½ **1963**

B/N. **Scenegg.** Federico Fellini, Tullio Pinelli, Ennio Flaiano, Brunello Rondi. **Fotogr.** Gianni Di Venanzo. **Scenogr. e costumi** Piero Gherardi. **Montagg.** Leo Catozzo. **Musica** Nino Rota. **Produtt.** Angelo Rizzoli, Federico Fellini. **Produz.** Cineriz, Francinex. **114 min.** Con Marcello Mastroianni (Guido Anselmi), Anouk Aimée (Luisa), Sandra Milo (Carla), Claudia Cardinale (Claudia), Rossella Falk (Rossella), Barbara Steele (Gloria), Edra Gale (la Saraghina).

• Guido è un famoso regista che attraversa una crisi d'ispirazione. Mentre cerca uno spunto creativo per il suo prossimo film, riflette sulla sua vita e viene travolto dai ricordi, in cui si intrecciano sogni, fantasmi e allucinazioni.

Giulietta degli spiriti **1965**

Scenegg. Federico Fellini, Tullio Pinelli, Ennio Flaiano. **Fotogr.** Gianni Di Venanzo. **Scenogr. e costumi** Piero Gherardi. **Montagg.** Ruggero Mastroianni. **Musica** Nino Rota. **Produz.** Angelo Rizzoli. **129 min.** Con Giulietta Masina (Giulietta), Sandra Milo (Susy, Iris, Fanny), Mario Pisu (Giorgio), Valentina Cortese (Valentina).

• Giulietta vive una vita perfettamente borghese, finché, quando scopre che il marito la tradisce, non tenta di fare emergere i suoi fantasmi rimossi. Una vicina di casa, Susy, la invita nella sua villa.

Fellini Satyricon **1969**

Scenegg. Federico Fellini, Bernardino Zapponi, con la collaborazione di Brunello Rondi, libero adattamento da Petronio. **Fotogr.** Giuseppe Rotunno. **Scenogr.** Danilo Donati. **Montagg.** Ruggero Mastroianni. **Musica** Nino Rota. **Produtt.** Alberto Grimaldi. **Produz.** PEA (Roma) e United Artists (Parigi). **138 min.** Con Martin Potter (Encolpio), Hiram Keller (Ascilto), Max Born (Gitone), Mario Romagnoli (Trimalcione), Magali Noël (Fortunata).

• Encolpio è afflitto perché il suo amante Gitone se ne è andato con il suo amico Ascilto. La ricerca dell'amante, la sua perdita e il successivo incontro con il rivale sono le tappe di un viaggio nella Roma decadente.

Roma **1972**

Scenegg. Federico Fellini, Bernardino Zapponi. **Fotogr.** Giuseppe Rotunno. **Scenogr.** Danilo Donati. **Montagg.** Ruggero Mastroianni. **Musica** Nino Rota. **Produtt.** Turi Vasile. **Produz.** Ultra Film e SPA (Roma), Productions Artistes Associés (Parigi). **119 min.** Con Peter Gonzales (Fellini), Fiona Florence (Dolores), Marne Maitland (guida alle catacombe).

• Alla scuola di Rimini il maestro racconta storie sulla Roma del mito. Il giovane Fellini arriva a Roma prima della guerra e ne scopre i teatri e i bordelli. Il regista Fellini gira un documentario sulla capitale, evocando piuttosto la Roma invisibile, dagli ingorghi del raccordo anulare alla scoperta di affreschi romani durante gli scavi per la metropolitana.

Amarcord **1973**

Scenegg. Federico Fellini, Tonino Guerra, da un soggetto di Federico Fellini. **Fotogr.** Giuseppe Rotunno. **Scenogr.** Danilo Donati. **Montagg.** Ruggero Mastroianni. **Musica** Nino Rota. **Produtt.** Franco Cristaldi. **Produz.** FC Produzioni (Roma) e PECF (Parigi). **127 min.** Con Bruno Zanin (Titta Biondi), Pupella Maggio (madre di Titta), Armando Brancia (padre di Titta), Stefano Proietti (fratello di Titta), Magali Noël (La Gradisca), Ciccio Ingrassia (lo zio matto),

• Cronaca di un anno nella cittadina di Rimini. Mentre il fascismo detta i ritmi della vita sociale e politica, gli adolescenti fantasticano sulla sessualità. Titta e la sua famiglia partecipano a inconsueti eventi collettivi.

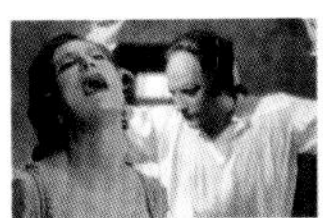

Il Casanova di Federico Fellini **1976**

Scenegg. Federico Fellini, Bernardino Zapponi, da *Storia della mia vita* di Giacomo Casanova **Fotogr.** Giuseppe Rotunno. **Scenogr. e costumi** Danilo Donati. **Montagg.** Ruggero Mastroianni. **Musica** Nino Rota. **Produtt.** Alberto Grimaldi **Produz.** PEA, Roma. **170 min.** Con Donald Sutherland (Giacomo Casanova), Margareth Clementi (Suor Maddalena), Cicely Browne (marchesa d'Urfé), Tina Aumont (Henriette), Carmen Scarpitta (signora Charpillon).

• Nella Venezia del XVIII secolo Giacomo Casanova, in seguito a uno scandalo, viene imprigionato ai Piombi. Evade e inizia a peregrinare per le corti d'Europa.

Prova d'orchestra **1978**

Scenegg. Federico Fellini, Bernardino Zapponi, con la collaborazione di Brunello Rondi. **Fotogr.** Giuseppe Rotunno. **Scenogr.** Dante Ferretti. **Montagg.** Ruggero Mastroianni. **Musica** Nino Rota. **Produz.** RAI e Albatros Produktion Gmbh. **70 min.** Con Balduin Baas (direttore d'orchestra), Clara Colosimo (arpista), Elizabeth Labi (pianista), Giovanni Javarone (tuba), Federico Fellini (voce dell'intervistatore).

• Durante le prove di un concerto sinfonico in una cappella romana, un gruppo di musicisti si ribella al potere tirannico del direttore d'orchestra.

La città delle donne **1980**

Scenegg. Federico Fellini, Bernardino Zapponi, Brunello Rondi. **Fotogr.** Giuseppe Rotunno. **Scenogr.** Dante Ferretti. **Montagg.** Ruggero Mastroianni. **Musica** Luis Bacalov. **Produz.** Opera F. Viva Int., Gaumont. **145 min.** Con Marcello Mastroianni (Snàporaz), Ettore Manni (Katzone), Anna Prucnal (moglie di Snàporaz), Bernice Stegers (la signora del treno).

• Durante un viaggio in treno, un uomo sogna di desiderare una donna. Perso in un mondo onirico, giunge in un luogo completamente dominato dalle donne.

E la nave va **1983**
Scenegg. Federico Fellini, Tonino Guerra. **Fotogr.** Giuseppe Rotunno. **Scenogr.** Dante Ferretti. **Montagg.** Ruggero Mastroianni. **Musica** Gianfranco Plenizio. **Produz.** RAI, Vides Produzione e Gaumont. **132 min.** Con Freddie Jones (Orlando), Barbara Jefford (Ildebranda Cuffari), Victor Poletti (Aureliano Fuciletto), Peter Cellier (Sir Reginald Dongby), Pina Bausch (Principessa Lherimia), Elisa Mainardi (Teresa).
• Alla vigilia dello scoppio della Grande guerra, diversi personaggi appartenenti al mondo della lirica si imbarcano su una nave per disperdere in mare le ceneri di una diva.

Ginger e Fred **1985**
Scenegg. Federico Fellini, Tonino Guerra, Tullio Pinelli. **Fotogr.** Tonino Delli Colli, Ennio Guarnieri. **Scenogr.** Dante Ferretti. **Montagg.** Nino Baragli, Ugo De Rossi, Ruggero Mastroianni. **Musica** Nicola Piovani. **Produz.** Alberto Grimaldi. **103 min.** Con Giulietta Masina (Amelia), Marcello Mastroianni (Pippo), Franco Fabrizi (il presentatore), Friedrich von Ledebur (l'ammiraglio), Augusto Poderosi (il travestito).
• Amelia e Pippo si ritrovano dopo molti anni per fare la loro ultima imitazione di Ginger Rogers e Fred Astaire in uno show televisivo.

Intervista **1987**
Scenegg. Federico Fellini, Gianfranco Angelucci. **Fotogr.** Tonino Delli Colli. **Scenogr.** Danilo Donati. **Montagg.** Nino Baragli. **Musica** Nicola Piovani. **Produtt.** Ibrahim Moussa. **Produz.** Aljosha Producions, RAI e Cinecittà. **113 min.** Con Sergio Rubini (Fellini da giovane), Maurizio Mein (aiuto regista), Lara Wendel (la sposa), Antonella Ponziani (la ragazza), Paola Liguori (la diva), Federico Fellini, Anita Ekberg e Marcello Mastroianni nel ruolo di se stessi.
• Fellini risponde alle domande dei giornalisti giapponesi negli studi di Cinecittà, mentre lavora a un adattamento dell'*America* di Kafka.

La voce della luna **1990**
Scenegg. Federico Fellini, Tullio Pinelli, Ermanno Cavazzoni, libero adattamento del *Poema dei lunatici* di Ermanno Cavazzoni. **Fotogr.** Tonino Delli Colli. **Scenogr.** Dante Ferretti. **Montagg.** Nino Baragli. **Musica** Nicola Piovani. **Produz.** Cecchi Gori, RAI Uno. **118 min.** Con Roberto Benigni (Ivo Salvini), Paolo Villaggio (Gonnella), Marisa Tomasi (Marisa), Nadia Ottaviani (Aldina).
• Ivo Salvini sente strane voci che provengono da un pozzo. Queste lo guidano a una città dove un uomo finisce per catturare e rinchiudere la luna in un garage.

Bibliografia selezionata

Libri di Federico Fellini

Federico Fellini. Il libro dei film,
a cura di Tullio Kezich,
Rizzoli, Milano, 2009.

Il libro dei sogni,
a cura di Tullio Kezich e Vittorio Boarini, Rizzoli, Milano, 2008.

Interviews,
a cura di Bert Cardullo,
University Press of Mississippi,
Jackson, MS, 2006.

Federico Fellini: sono un gran bugiardo, a cura di Damian Pettigrew, Elle U Multimedia,
Roma, 2003.

Fellini on Fellini, Da Capo Press,
Cambridge, MA, 1996.

Con Milo Manara,
Viaggio a Tulum: da un soggetto di Federico Fellini per un film da fare,
Rizzoli, Milano, 1990.

Un regista a Cinecittà,
Mondadori, Milano, 1988.

Intervista sul cinema,
a cura di Giovanni Grazzini,
Laterza, Bari, 2004.

Fellini's Faces: 418 pictures from the photo-archives of Federico Fellini, a cura di Christian Strich, Holt, Rinehart & Winston, Austin, TX, 1982.

Libri su Federico Fellini

John Baxter,
Fellini, Fourth Estate,
London, 1993.

Peter Bondanella,
Federico Fellini, Essays in Criticism,
Oxford University Press,
Oxford, 1978.

Peter Bondanella,
Il cinema di Federico Fellini,
Guaraldi, Rimini, 1994.

Tullio Kezich,
Federico. Fellini, la vita e i film,
Feltrinelli, Milano, 2007.

Note

1. Il cinema italiano del secondo dopoguerra intende dare ampio spazio alla realtà. Emergono allora due tendenze neorealiste contrapposte: da una parte i registi marxisti, Luchino Visconti in testa, per i quali il cinema deve presentare un'analisi della realtà, attualizzando gli orientamenti del romanzo ottocentesco; dall'altra Roberto Rossellini, per il quale il cinema deve invece privilegiare la resa della realtà, sondandone i limiti. Federico Fellini, come Michelangelo Antonioni, seguirà il secondo orientamento.
2. Federico Fellini, *Fare un film*, Einaudi, Torino, 1980, p. 114.
3. Ruggero Maccari ha lavorato al *Marc'Aurelio* nello stesso periodo di Fellini, prima di diventare sceneggiatore. Aldo Fabrizi era uno dei più noti artisti di varietà del momento.
4. Vittorio Mussolini (1916-1997) è il fondatore della rivista *Cinema*, che ha ospitato i principali dibattiti teorici del Neorealismo.
5. *Roma città aperta* (1945) è stato girato in condizioni precarie, dato il deplorevole stato in cui la guerra aveva ridotto l'industria cinematografica. Il film appare come una presa di coscienza della barbarie nazista e un'indicazione di impegno per il cinema italiano di fronte alla grande frattura storica della Seconda guerra mondiale.
6. Entrambi registi, sceneggiatori e attori, Pietro Germi (1914-1974) e Alberto Lattuada (1913-2005) sono due grandi nomi del Neorealismo cinematografico italiano.
7. Tullio Kezich, *Federico. Fellini, la vita e i film*, Feltrinelli, Milano, 2007, p. 84.
8. Gianni Rondolino, "Fellini e Rossellini: influenze reciproche", pubblicato in *Rivista annuale di cinema italiano*, Quaderni del CSCI, Barcelona, 2005, p. 105.
9. André Bazin (1918-1958), cofondatore dei *Cahiers du cinéma*, considerava il cinema come un mezzo di riproducibilità del reale, storicamente nato come estensione della fotografia. Nella sua concezione, il cinema si opponeva quindi alle arti figurative, che copiano o imitano la realtà. Di conseguenza, ogni rappresentazione della realtà esigeva di mantenerne viva tutta l'ambiguità, nonché la necessità di rivelarne i misteri.
10. Jacqueline Risset, "Anatomia di un fotogramma. Lo Sceicco Bianco" in *L'incantatore. Scritti su Fellini*, Libri Scheiwiller, Milano, 1994, p. 31.
11. Di origine marchigiana, in uso dalle parti di Ennio Flaiano.
12. Cesare Zavattini (1902-1989) è uno dei più grandi sceneggiatori del cinema italiano e uno dei principali teorici del Neorealismo. La sua popolarità è legata alla collaborazione con Vittorio De Sica, in particolare per *Ladri di biciclette* (1948) e *Umberto D.* (1952). Per Zavattini, rappresentare la realtà significa mostrare i momenti più intimi e cogliere il tempo reale degli eventi. *L'amore in città* (1953), concepito come un "rotocalco" cinematografico sui sentimenti amorosi in un contesto cittadino, si compone di sei episodi, rispettivamente firmati dai registi Michelangelo Antonioni, Federico Fellini, Alberto Lattuada, Carlo Lizzani, Francesco Maselli e Dino Risi.
13. André Bazin, *Che cos'è il cinema?*, Garzanti, Milano, 1973, p. 329.
14. La commedia dell'arte si basa su una serie di maschere come Arlecchino, Pantalone, Colombina, a partire dalle quali gli attori sono chiamati a improvvisare. Federico Fellini riprende questa idea nella sua elaborazione del personaggio di Gelsomina, che è ispirata anche a Charlot, la "maschera" creata da Charlie Chaplin.
15. Guido Aristarco (1918-1996), direttore della rivista *Cinema Nuovo*, è stato il maggiore esponente della critica marxista italiana. Opponendosi ai postulati di André Bazin, rivendicava un modello di cinema realista fondato sull'analisi delle dinamiche sociali ed era estraneo a ogni visione spirituale del mondo.
16. André Bazin, *Che cosa è il cinema*, cit., p. 329.
17. L'incomprensione in occasione del Festival di Venezia del 1955 costringe Federico Fellini a tagliare venti minuti della pellicola originale, che verrà riproposta solo al Festival del Cinema ritrovato di Bologna nell'estate del 2002.
18. François Truffaut, "Le Festival de Venise 1955", *Cahiers du cinéma*, n. 51, ottobre 1955.
19. Nelle sequenze iniziali del film *L'avventura* uno dei personaggi scompare, tuttavia il racconto ben presto si disinteressa del perché di quella sparizione. Il film è considerato oggi come l'opera che ha inaugurato un cinema moderno, incentrato sull'interiorità più che sul contesto sociale.
20. Pascal Bonitzer, "La città delle donne", *Cahiers du cinéma*, n. 318, dicembre 1980.
21. Federico Fellini, *Fare un film*, cit., p. 92.
22. *Boccaccio '70* si compone di quattro episodi rispettivamente firmati da Vittorio De Sica, Federico Fellini, Luchino Visconti e Mario Monicelli. Ciascun regista era chiamato a inventare un racconto erotico alla maniera del *Decamerone* di Boccaccio.
23. Il titolo *8½* evoca il numero di film girati da Fellini fino a quel momento e annuncia il carattere autoreferenziale dell'opera, concepita come una sorta di regolamento di conti con se stesso.
24. L'organismo preposto alla valutazione dei film secondo i criteri della Chiesa. Quelli ritenuti offensivi della morale cattolica venivano sconsigliati ai fedeli, e se ne vietava la proiezione nelle sale dipendenti dall'autorità ecclesiastica.
25. *La mia Rimini* è un breve testo autobiografico, successivamente incluso in *Fare un film*, cit.
26. *Tre passi nel delirio* (1968) è un film collettivo che riunisce adattamenti di testi di Edgar Allan Poe firmati da Louis Malle, Roger Vadim e Federico Fellini.
27. *Block-notes di un regista* è un progetto prodotto dalla NBC.
28. L'estetica espressionista postula che la forma dell'opera sia una proiezione del mondo interiore dell'artista. Il modo in cui la multiforme interiorità di Fellini si incarna materialmente nelle scenografie e nella regia è molto vicino a una concezione espressionista dell'arte.
29. Con il termine "aristocrazia nera" si intendono gli oscuri ambienti aristocratici vicini al potere del Vaticano. Sono questi ultimi il bersaglio diretto della satira di Fellini nella scena della sfilata di moda ecclesiastica.
30. La parola "amarcord", che evoca l'espressione "mi ricordo", è un neologismo di Fellini, scarabocchiato sul tovagliolo di un ristorante in un gesto di scrittura automatica.
31. Tullio Kezich, *Federico. Fellini, la vita e i film*, cit., p. 334.
32. Il concetto di "neotelevisione" è stato elaborato da Umberto Eco per definire il modello di televisione apparso in Italia alla fine degli anni '70, fondato sulla proliferazione dei canali e opposto a quello di "paleotelevisione", costituita unicamente dai canali del servizio pubblico. Si veda Umberto Eco, "TV: la trasparenza perduta", in *Sette anni di desiderio*, Bompiani, Milano, 1983.
33. Nelle *Città invisibili* (1972) Italo Calvino descrive cinquantacinque città immaginarie dai nomi femminili che compongono un universo mentale, privo di qualsiasi legame con la realtà, nel quale spazio e tempo sono totalmente astratti.
34. Pilar Pedraza, Juan López Gandía, *Fellini*, Cátedra, Madrid, 1993, p. 285.
35. Nel gennaio del 1977 Fellini fa visita a Simenon a Losanna e *L'Express* pubblica un'intervista in cui i due parlano del *Casanova*. Nasce così una strana amicizia, che porta Fellini a vedere Simenon come un novello Casanova (si veda Federico Fellini e Georges Simenon, *Carissimo Simenon. Mon cher Fellini*, Cahiers du cinéma, Paris, 1998).
36. Youssef Ishaghpour, *Opéra et théâtre dans le cinéma d'aujourd'hui*, La Différence, Paris, 1995, p. 12.
37. Nell'Alto Medioevo i pazzi venivano scacciati dalle città e abbandonati al loro destino. L'usanza ha dato origine al mito germanico della nave dei folli, *das Narrenschiff*, che solcava le acque del paese loro riservato, la Narragonia. Al mito si è ispirato Hyeronimus Bosch per una serie di dipinti di cui rimane un solo pannello, esposto al Louvre.
38. Dopo la scoperta di Kafka nel 1941, Fellini sarà tentato diverse volte di adattarlo al cinema, finché non deciderà di includere l'*America* in *Intervista* a seguito della lettura sul *Messager européen* (n. 1, maggio 1987) di un articolo di Milan Kundera in cui lo scrittore rileva come esista "una grande corrente (probabilmente la più importante) dell'arte moderna che va da Kafka a Fellini, la quale, invece di esaltare il mondo moderno (alla maniera di un Majakovskij o di un Léger), ne è l'immagine disillusa e penetrante".

Fonti

Collezione Cahiers du cinéma: seconda di copertina-p. 1, p. 2-3, 4-5, 7, 12, 13, 17, 24, 28, 29, 30, 31, 32-33, 34-35, 48-49, 51, 72, 82-83, 84, 93, 96 (4ª col.), 98 (2ª col. in basso), 100 (1ª col. al centro), 103.
Collezione CAT'S: p. 22, 45 (in basso), 50, 55, 58-59, 63, 64-65, 68-69, 78-79, 85, 86-87, 90-91, 94-95, 104-terza di copertina.
Collezione Cinémathèque française: p. 6, 10, 11, 14, 16, 18-19, 20-21, 26-27, 38-39, 40, 44, 45 (in alto), 46, 47, 54, 56, 57, 60-61, 62, 66, 67, 70-71, 77, 80, 81, 92, 96 (3ª col.), 97 (2ª col.).
Collezione Photo12: p. 52-53.
Rue des Archives: copertina.
Fermo immagini: p. 76, 89.

Crediti fotografici

© Ajosha Prod/Cinecittà: p. 90-91
© Tutti i diritti riservati: p. 4-5, 6, 7, 10, 13, 18-19, 81, 96 (1ª col.), 97 (2ª col.), 103.
© Archives du 7e art: p. 52-53.
© BCA: copertina.
© Carlo Ponti-De Laurentiis: p. 24, 26-27.
© Cineteca comunale di Bologna: p. 97 (1ª col.).
© Cineriz: p. 55.
© Cineriz/Pathé Consortium Cinéma: p. 45 (in basso).
© Courtesy of Warner Bros. Pictures/PECF: p. 66, 68-69.
© Courtesy of Warner Bros. Pictures/Pierluigi/Cineteca comunale di Bologna/PECF: p. 67, 70-71.
© Dino De Laurentiis/Les Films Marceau: p. 14, 30, 32-33, 34-35, 45 (in alto), 96 (3ª col.).
© Diogenes Verlag A.G. Zurich: p. 42-43.
© Enrica Salfari/Cecchi Gori Group Tiger Cinematografica/Films A2/La Sept Cinéma/Cinémax/Rai Uno Radiotelevisione Italiana: p. 92, 93, 94-95.
© Federico Fellini: p. 8.
© France 3 Cinéma/Les Films Ariane, Produzioni Europee Associati (PEA)/Radiotelevisione Italiana/Revcom Films/Stella Films: p. 100 (1ª col. al centro).
© G.B. Paletto: p. 28, 29, 31, 98 (2ª col. in basso).
© Ital-Noleggio Cinematografico: p. 63, 64-65
© Italy's news photos/Cineteca comunale di Bologna: p. 23.
© Laurent Montlau/Aljosha/Cinecittà/Rai Uno Radiotelevisione Italiana/Fernlyn: p. 72, 89 (4ª col. in basso).
© Les Films Marceau/Produzioni Europee: p. 56.
© Les Productions Artistes Associés/Produzioni Europee Associati/ Ultra Film: p. 57, 62.
© Organizzazione Film Internazionale: p. 11.
© Osvaldo Civirani: p. 16, 17.
© Paul Ronald: seconda di copertina-p. 1, 44 (1ª col.), 46, 47, 48-49, 50, 51, 96 (4ª col.).
© PEA (Produzioni Europee Associati): p. 58-59.
© PEA/Istituto Luce: p. 85, 86-87.
© Pierluigi/Cineteca comunale di Bologna: p. 2, 36, 38, 40, 44 (2ª col. in alto), 44 (2ª col. in basso).
© Photo Studio Cattarinich: p. 77.
© Produzioni Europee Associati: p. 74-75.
© RAI/Radiotelevisione Italiana: p. 54, 60-61.
© RAI/Vides Produzione: p. 104-terza di copertina.
© Revue 420: p. 9.
© RKO Radio Picture Radio/Keith/Orpheum: p. 20-21, 22.
© Tazio Secchiaroli/Gaumont/Praturion, Pierluigi: p. 78-79.
© The Associated Press: p. 80.
© Vides Cinematografica/Radiotelevisione Italiana/Société des Etablissements L. Gaumont/Films A2/Società Investimenti Milanese (S. I. M): p. 82-83, 84.
© Vincenzo Mollica: p. 25.

L'Editore ha attentamente ricercato i possessori dei diritti delle immagini riprodotte in questo volume; si resta a disposizione per eventuali omissioni.

Pagina a fronte: Federico Fellini negli anni '60.
Copertina: Anita Ekberg in *La dolce vita* (1960).
Seconda di copertina: Marcello Mastroianni in *8½* (1963).
Terza di copertina: *E la nave va* (1983).

Cahiers du cinéma Sarl
65, rue Montmartre
75002 Paris

www.cahiersducinema.com

Edizione italiana aggiornata © 2011 Cahiers du cinéma Sarl
Edizione originale francese © 2007 Cahiers du cinéma Sarl

ISBN 978 2 8664 2800 6

Tutti i diritti sono riservati. Nessuna parte di questa pubblicazione può essere riprodotta o archiviata in un sistema di recupero o trasmessa in qualsiasi forma o con qualsiasi mezzo elettronico, fotoriproduzione, memorizzazione o altro, senza il permesso scritto da parte di Cahiers du cinéma Sarl.

Collana concepita da Claudine Paquot
Realizzazione dell'edizione italiana di Buysschaert&Malerba
con Giacomo Serra e la traduzione dal francese di Alessandra Benabbi
Progetto grafico di Werner Jeker/Les Ateliers du Nord
Impaginazione di Pascaline Richir
Stampato in Cina